Anthony de Mello, S. J.

CAMINAR SOBRE LAS AGUAS

Editorial **LUMEN**
Viamonte 1674 (1055)
☎ 49-7446 / 814-4310 / FAX (54-1) 814-4310
Buenos Aires • República Argentina

Colección Iluminación y espiritualidad

Título original:
Caminhar sobre as águas.
© Editorial Loyola, San Pablo, Brasil, 1992.

Traducción: Roberto Mascaró
Diagramación: Lorenzo D. Ficarelli
Diseño de tapa: Oscar Sánchez Rocha

ISBN 950-724-315-1

LIBRO DE EDICIÓN ARGENTINA
PRINTED IN ARGENTINA

Oración, amor, espiritualidad, religión, significan desprenderse de las ilusiones. Cuando la religión lleva a hacer eso, ¡óptimo!, ¡óptimo! Cuando se desvía de eso, es una enfermedad, una plaga para evitar. Una vez que las ilusiones son abandonadas, el corazón deja de estar obstruido, se instaura el amor. Entonces hay felicidad. Entonces hay transformación. Y solamente entonces, sabes quién es Dios...

Anthony de Mello

PRESENTACIÓN

En 1981 tuve la oportunidad de participar de un curso dirigido por el padre Anthony de Mello, en Grand Coteau, Casa de Retiro de los Padres Jesuitas, en la provincia de Nueva Orleans, en el estado de Louisiana.

Desde entonces medito diariamente sobre sus libros y escritos. Descubro en ellos siempre más alimento para mi vida espiritual.

El padre de Mello es un jesuita de la India, conocido internacionalmente por su manera creativa de ayudar a las personas a aprender a orar y también a vivir felices.

Él ha unido lo mejor de Oriente y de Occidente, presentando todas las formas de rezar de una manera nueva, combinadas con ejercicios simples y prácticos de autorrealización.

Los ejercicios cristianos, a la manera oriental, parecen ejercer una extraordinaria atracción entre las personas del mundo occidental de hoy.

La primera vez que el padre de Mello apareció en televisión, en Nueva York, la entrevistadora dijo que había recibido más llamadas telefónicas en ese programa, que durante todo el resto del año.

¿Por qué era tan excitante oírlo? Porque él hablaba a cada persona.

"¿Usted está perturbado? ¿Con un sentimiento de rechazo o de soledad, o se siente poco valorado? ¿No está disfrutando cada momento de cada día? Si la respuesta es *sí*, algo está mal en usted."

El padre de Mello dedicó su vida a ayudar a las personas a cambiar aquellos sentimientos y a vivir felices. Dio cursos, escribió libros, hizo programas de televisión, incluso un programa transmitido vía satélite, en vivo, para setenta y seis universidades de los Estados Unidos y Canadá, que involucró a 3.000 estudiantes en un diálogo abierto a través de toda América del Norte.

"Gran parte de nuestra vida", dijo, "es vivida en el pasado, lamentando nuestros errores, viviendo de manera horrible y cargando pesados fardos de culpa. O gran parte del futuro, paralizado, con miedo de lo que ocurrirá."

Esas ideas y otras hicieron fascinantes sus libros y gratificante su lectura. Ahora, usted disfrutará esta traducción inédita en castellano.

Núbia Maciel França

San Pablo, noviembre de 1992

El pecado

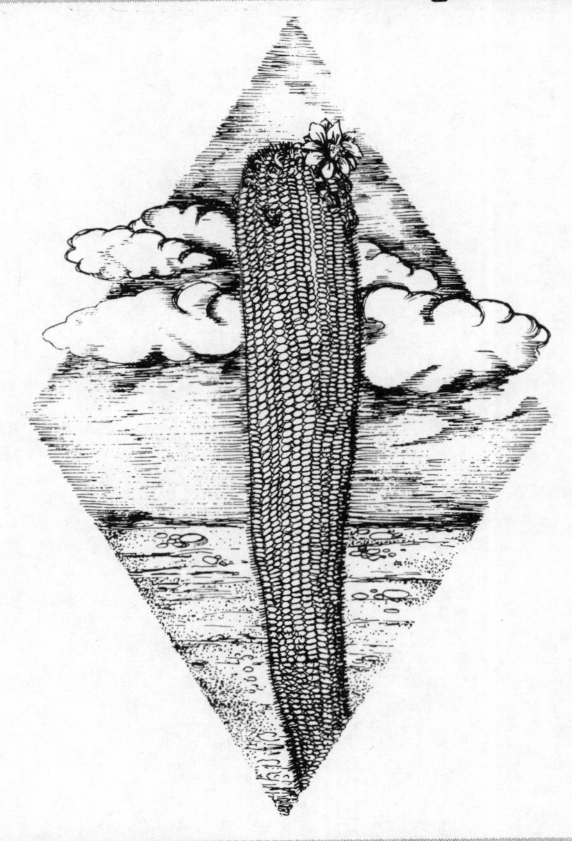

El amor no guarda rencor.

Hay una frase encantadora del Nuevo Testamento, cuando Pablo, hablando del amor, dice: "El amor no guarda rencor." A veces digo a las personas: "Ustedes van a quedar muy desilusionados cuando lleguen allá arriba y descubran que no hay pecado que no pueda ser perdonado por Dios."

Cierta vez, una mujer que suponía estar teniendo visiones de Dios fue a pedir consejo al Obispo. Él le recomendó:

—Usted puede estar creyendo en ilusiones. Debe entender que, como Obispo de la diócesis, yo soy quien puede decidir si sus visiones son verdaderas o falsas.

—Sí, Excelencia.

—Ésa es mi responsabilidad, es mi deber.

—Perfectamente, Excelencia.

—Entonces, deberá hacer lo que le ordene.

—Lo haré, Excelencia.

—Entonces escuche: la próxima vez que Dios se le aparezca, como dice que se le aparece, usted hará un *test*, por el cual sabrá si es realmente Dios.

—De acuerdo, Excelencia. Pero, ¿cómo es el *test*?

—Diga a Dios: "Por favor, revéleme los pecados personales y privados del señor Obispo." Si fuese Dios el que se le aparece, Él le revelará mis pecados. Después vuelva aquí y cuénteme, y a nadie más. ¿Está bien?

—Así lo haré, Excelencia.

Después de un mes, ella pidió una entrevista con el Obispo, quien le preguntó:

—¿Dios se le apareció de nuevo?

—Creo que sí, Excelencia.

—¿Le hizo la pregunta que le ordené?

—¡Por cierto, Excelencia!

—¿Qué dijo Dios?

—Dios me dijo: "¡Ve a comunicarle al Obispo que me olvidé de todos sus pecados!"

¿Qué les parece? Ningún libro en el cual anotar los pecados. ¿Saben una cosa? Dios no lleva ningún registro, ningún catálogo. Él nos ve en el momento presente y nos envuelve con un amor insuperable.

El silencio que conduce a Dios

Salir de la mente y percibir con el corazón.

Éste es un libro sobre el medio, el camino para llegar a Dios en los días de hoy. Hablaré sobre cosas como meditación, oración, y otras íntimamente ligadas a la oración, como amor, alegría, paz, vida, libertad y silencio. Quiero comenzar con el silencio, y les voy a contar por qué: cualquier camino hacia Dios tiene que ser un camino hacia el silencio. Si usted quiere llegar algún día a la unión con Dios, debe comenzar por el silencio. ¿Qué es el silencio?

En Oriente, un gran rey fue a visitar a su maestro y le dijo: "Soy un hombre muy ocupado, ¿podría decirme cómo puedo llegar a unirme con Dios? ¡Respóndame en una sola frase!"

Y el maestro le dijo: "¡Le daré la respuesta en una sola palabra!"

"¿Qué palabra es esa?", preguntó el rey.

Dijo el maestro: ¡Silencio!"

"¿Y cuándo podré alcanzar el silencio?", dijo el rey. "Meditación", dijo el maestro.

La meditación en Oriente significa no pensar, estar más allá del pensamiento.

Entonces dijo el rey: "¿Qué es la meditación?" El maestro respondió: ¡Silencio!"

"¿Cómo lo voy a descubrir?", preguntó el rey.

"Silencio", respondió el maestro.
"¿Cómo voy a descubrir el silencio?"
"¡Meditación!"
"¿Y qué es la meditación?"
"¡Silencio!"

Silencio significa ir más allá de las palabras y de los pensamientos. ¿Qué hay de erróneo en las palabras y en los pensamientos? Que son limitados.

Dios no es como decimos que es; nada de lo que imaginamos o pensamos. Eso es lo que tienen de erróneo las palabras y los pensamientos.

La mayoría de las personas permanecen presas en las imágenes que han hecho de Dios. Éste es el mayor obstáculo para llegar a Él. ¿Le gustaría experimentar el silencio del que hablo?

El primer paso es comprender. ¿Comprender qué? Entender que Dios no tiene nada que ver con la idea que tenía de Él.

En la India hay muchas rosas. Supongan que no he sentido nunca en mi vida el olor de una rosa. Pregunto cómo es el perfume de una rosa. ¿Podrían describírmelo?

Si usted no puede describir una cosa simple como el perfume de una rosa, ¿cómo podría alguien describir una experiencia de Dios? Todas las palabras son inadecuadas. Dios está absolutamente más allá.

Eso es lo erróneo de las palabras.
Hay un gran místico que escribió *La nube*
***del desconocimiento*, un gran libro cristiano. Y en él dice:**
"¿Usted quiere conocer a Dios? Sólo hay un medio
de conocerlo: ¡por el no-conocimiento! Usted tiene
que salir de su mente y de su pensamiento;
entonces podrá percibirlo con el corazón."
Tomás de Aquino dijo sobre Dios —sólo esto puede ser
dicho con certeza—: "No sabemos lo que Él es." Y también
está lo que dice la Iglesia: "Cualquier imagen que hagamos
de Dios es más diferente que parecida a Él."
Si eso es verdad, ¿qué son entonces las Escrituras? Bien,
ellas no nos dan un retrato de Dios, ni una descripción;
nos dan una pista. Porque las palabras no pueden
proporcionarnos un retrato de Dios.
Supongamos que yo estoy en mi país, yendo rumbo
a Bombay, y llego a una placa donde está escrito: Bombay.
Digo: "¡Miren, aquí está Bombay!" Miro la placa,
me vuelvo y tomo el camino de retorno. Y cuando llego,
las personas me preguntan: "¿Fuiste a Bombay?"
"Sí, fui."
"¿Y cómo es aquello?"
"Miren, es como una placa pintada de amarillo
con palabras escritas, una parece que con B, otra... etc."
¡Ahí está la cosa! Aquella placa no es Bombay.
De hecho, no se parece a Bombay, no es un retrato
de Bombay. Es una señal. Eso es lo que son las Escrituras,
una señal. "Cuando el sabio apunta hacia la Luna,

todo lo que el loco ve es el dedo." Imaginen que yo esté apuntando hacia la Luna y diga: "Luna."
Usted llega y dice: "¿Eso es la luna" Y mira hacia el dedo.
Éste es el peligro y la tragedia de las palabras.
Las palabras son lindas. "Padre", qué palabra tan bonita para aludir a Dios.
La Iglesia dice que que es un misterio, Dios es un misterio.
Y si usted toma la palabra Padre literalmente, se pone en apuros, porque las personas van a preguntarle:
¿Qué clase de padre es ése que permite tanto sufrimiento?
¡Dios es un misterio! ¡Desconocido, ininteligible, más allá de la mente!
Imaginen un hombre que haya nacido ciego.
Él pregunta qué es el color verde, del que todo el mundo habla. ¿Cómo se lo describirían?
¡Imposible!
Escuchen sus preguntas: "¿Es frío o caliente? ¿Grande o pequeño? ¿Áspero o suave?"
No es nada de eso. El pobre hombre pregunta a partir de sus limitadas experiencias.
Pero, vamos a suponer que yo fuese un músico y dijese: "Voy a decirle cómo es el verde.
Es como música."
Y un día, el hombre recupera la visión y yo le pregunto: "¿Vio el verde?"
Él dice: No.
¿Sabe por qué? Él andaba buscando la música.

Estaba tan preso en la idea de la música que, aun mirando el verde, no podía reconocerlo.

> Hay otra historia en Oriente, sobre un pececito del océano. Alguien le dijo al pez: "¡Oh, qué cosa tan inmensa es el océano! ¡Es grande, maravilloso!"
> Y el pez, nadando en todas direcciones, pregunta: "¿Dónde está el océano?"
> "Tú estas dentro de él."
> ¡Pero el pez ve tan sólo agua!

No consigue reconocer el océano. Está preso de la palabra. ¿Será esto lo que sucede con nosotros? ¿Será que Dios nos está mirando a la cara y que, por estar presos de ciertas ideas, no lo reconocemos? ¡Sería trágico!
El silencio es el primer paso para llegar a Dios y entender que las ideas sobre Dios son todas inadecuadas.
La mayoría de las personas no está lista para entender esto, lo que es un gran obstáculo para la oración.
Y para alcanzar el silencio, es necesario tomar conciencia de los cinco sentidos, usándolos. A muchos, esto les puede parecer absurdo y casi increíble, pero todo lo que tienen que hacer es mirar, oír, sentir, ver.
En Oriente decimos: Dios creó el mundo. Dios danza en el mundo. ¿Puede pensar en una danza sin ver al danzarín? ¿Son una sola cosa? No. Dos, y Dios está en la Creación como la voz de un cantor en una canción.

Vamos a suponer que yo cante una canción. Usted tendrá mi voz y la canción. Ellas están íntimamente ligadas, mas no son la misma cosa. Pero piense: ¿no es extraño que escuchemos la canción y no la voz? ¿Vemos una danza y no al danzarín?
¿Quiere decir que nos basta con mirar y tendremos la gracia de ver y reconocer a Dios? No. Usted puede recibir la gracia de ver y reconocer. Lo que requiere una manera especial de mirar.
El zorro dijo al Principito algo maravilloso: "Sólo con el corazón se ve correctamente. Lo esencial es invisible a los ojos." Entonces, es necesario oír con el corazón, ver con el corazón.

En un cuento japonés, el discípulo dice al maestro: "Usted está escondiéndome el secreto final de la contemplación."
El maestro dice: "¡No, no lo estoy haciendo!"
El discípulo responde: "¡Sí, lo hace!"
Un día estaban caminando por los declives de una montaña y oyeron cantar un pájaro.
El maestro dijo al discípulo: "¿Has oído aquel pájaro cantar?"
El discípulo contestó: "Sí."
El maestro dijo: "Ahora sabes que no te he escondido nada."
Y el discípulo respondió "Sí."
¿Sabe lo que sucedió? Él oyó con el corazón,

escuchó con el corazón. Eso es una gracia
que puede sernos dada.

**Imagine que yo esté mirando la puesta de sol
y un campesino se me acerque y diga: "¿Qué mira usted?
¡Parece estar en éxtasis!" Y le responda: "¡Estoy extasiado
por la Belleza!"
El pobre hombre comienza a venir todos los días
por la tarde en busca de la Belleza, y se pregunta dónde
está. Ve el sol, las nubes, los árboles. Pero, ¿dónde está
la Belleza? No comprende que la Belleza no es una cosa.
Belleza es una manera de ver las cosas. ¡Mire la Creación!
Espero que un día le sea dado el don de ver
con el corazón.
Y cuando esté viendo la Creación, no pretenda nada
sensacional.
¡Tan sólo mire! Observe sin ideas. Mire la creación.
Mucho espero que esta gracia le sea dada, porque estará
en la quietud en cuanto mire, y el silencio se ocupará
de usted. Entonces podrá ver.
Es lo que nos transmite tan maravillosamente el Evangelio
de san Juan. Leemos en el primer capítulo:
"Todas las cosas fueron creadas por Él y en Él."
Después de aquella frase encantadora que dice:
"Él estaba en el mundo y el mundo fue creado por Él,
pero el mundo no lo reconoció." Si mirase, tal vez podría
reconocerlo. Mire la danza, tengo esperanza
de que vea al bailarín.**

**Hay otro instrumento que me gustaría recomendar:
la Sagrada Escritura. La Escritura es la parte excelente,
el dedo que señala la Luz.
Usamos sus palabras para ir más allá de ellas y alcanzar
el silencio. ¿Cómo hacer?
Tome un pasaje de la Escritura: "En el último y mayor día
de fiesta, Jesús se puso de pie y dijo en voz alta:
Quien tenga sed, venga a mí y beba." Supongamos que
al leer, usted sea tocado por esta frase. ¿Qué hará? Recite
esta frase en su corazón y deje de leer. ¡Quien tenga sed,
venga a mí y beba! Repita, repita, hasta que su corazón
quede satisfecho.
No es necesario pensar en el significado
de las palabras, porque su corazón sabe el sentido.
Y cuando llegue a ese punto de satisfacción, reaccionará
ante esas palabras. ¿Cómo? Algunos podrán preguntar:
"¿Cualquiera? ¿Quieres decir exactamente eso, Dios mío,
cualquiera? ¿Ladrón, pecador? ¡Bien!, heme aquí,
dame de beber!"
Otros podrán reaccionar diciendo: "No creo en esto.
¿De qué bebida me hablas? ¡Tantas veces he venido a ti
en el pasado y nunca me diste nada!" Aquí hay alguien
frustrado, con rabia, y es perfectamente razonable
que hable así con Dios.
Es una gran oración, porque está exponiendo
honestamente lo que tiene en el corazón.
No obstante, otra persona podrá decir: "¡Sé exactamente
lo que me estás diciendo, Señor, porque Tú me diste**

de beber! Heme aquí otra vez, sediento."
Ésa es una manera de responder a la interpretación bíblica.

Pero puede llegar un momento en que esté cansado de reaccionar con palabras. Cuando haya sentimientos que traspasan su corazón, tan profundos y ricos que ninguna palabra sea capaz de expresarlos, lo único que podrá hacer será quedarse sin acción, en silencio; respondiendo aquellas palabras y a Dios más allá de cualquier palabra que pudiese usar; permaneciendo en aquel silencio mientras no se distraiga. Cuando lo haga, tome el libro y continúe la lectura, hasta ser tocado por otra frase.
Es una manera de usar las palabras de la Escritura para ir más allá de ellas, hasta el silencio. Leer, recitar y responder. Al poco tiempo, la reacción será el silencio. Y en el silencio encontrará a Dios.
Hay otra manera de usar la Escritura. Quedarse en silencio, mirando y oyendo. Esto lo llevará al silencio. Y cuando llegue a esa profunda quietud, recuerde una frase de la Biblia.
¿Sabe lo que sucederá? Las palabras de la Escritura parecerán grabadas en su corazón. Ellas tendrán un significado tan fuerte que profundizarán el silencio. Ellas tienen un sentido más allá de la mente. ¿Podrían, esas palabras, perturbar su silencio? ¡No! Es como la paz y la quietud

del atardecer, y usted oye un pájaro o las campanas de la iglesia, y estos sonidos profundizan el silencio. Eso es lo que pasará con usted si se queda en silencio y alguien lee una frase de la Escritura, o si usted se acuerda de alguna.
Piense en estas frases que dijo Jesús: "¡Sígueme!" "Todo es posible para aquel que cree. ¿Tú crees que yo pueda hacer esto?" "¡Paz!" ¡No tengas miedo, soy yo mismo!" "¿Tú me amas?"
Imagine que Jesucristo está aquí, de pie frente a usted, y le dirige estas palabras. Usted tiene que resistir a la tentación de responder. No diga nada, no responda. Deje que las palabras reverberen en su corazón, deje que ellas movilicen todo su ser. Y cuando no pueda ya contenerse, reaccione, dé su respuesta. Es muy probable que entre en silencio mucho antes de dar la respuesta. Ése es un método muy simple y eficiente para alcanzar el silencio. Úselo.
Imagine que Jesús está de pie delante de usted y le dirige una de aquellas frases tan amorosas del Evangelio. Contenga la reacción y, cuando no pueda más, hable con Él.
Ahora quiero contarle una historia, síntesis de la espiritualidad del mirar y del oír. Una historia es la distancia más corta entre un ser humano y la verdad.

Había un templo construido en una isla, a más o menos tres kilómetros del continente. Allí estaba la isla. Y en aquel templo había mil campanas de plata, grandes y pequeñas. Campanas forjadas por los mayores artesanos del mundo. Y cada vez que el viento soplaba, o había tempestad, las campanas sonaban.

Se decía que quien oyese aquellas campanas sería iluminado y tendría una gran experiencia de Dios. Los siglos pasaron, y la isla se sumergió en el océano. La isla, el templo y las campanas. Pero persistió la tradición de que de vez en cuando las campanas tocasen y quien tuviese el don de oírlas, sería transportado hasta Dios.

Atraído por la leyenda, un joven emprendió un viaje de muchos kilómetros hasta llegar al lugar donde, se decía, años atrás estaba el templo. Se sentó sobre la primera sombra que encontró y comenzó a esforzarse para oír el sonido de aquellas campanas.

Por más que se esforzó, lo único que consiguió oír fue el rumor de las olas rompiendo en la playa o chocando contra el roquedal. Y eso lo irritó, porque intentaba apartar aquel rumor para oír las campanas tocando. E intentó una semana, cuatro semanas, ocho semanas... pasaron tres meses. Cuando estaba por desistir, oyó que los ancianos de la aldea hablaban, de noche, sobre la tradición y sobre las personas que habían recibido la gracia, y su corazón se encendió. Pero sabía que el corazón ardiente no sustituiría el sonido de aquellas campanas. Después de intentar seis u ocho meses, resolvió abandonar. Tal vez solamente se tratase de una leyenda, tal vez la gracia no fuese para él. Se despidió de las personas con las que vivía y fue a la playa a decir adiós al árbol que le daba sombra, al mar y al cielo.

Mientras estaba allí, comenzó a escuchar el sonido de las olas y descubrió, por primera vez, que era un sonido agradable, sedante; y el sonido conducía al silencio. Y mientras el silencio se profundizaba, algo sucedió. Oyó el tintinear de una pequeña campana. Se sobresaltó y pensó: "¡Debo estar produciendo ese sonido, debe ser autosugestión!" Otra vez comenzó a escuchar el sonido del mar, se tranquilizó y se quedó en silencio. El silencio se hizo más denso, y él oyó de nuevo el tintinear de una pequeña campana. Antes de asustarse, otra campana tocó y otra más y otra y otra y otras... Y luego una sinfonía de mil campanas del templo tocando al unísono.

Fue transportado hacia afuera de sí mismo y recibió la gracia de la unión con Dios.

Si usted quiere oír el sonido de una campana, escuche el sonido del mar. Si quiere reconocer al danzarín, mire la danza. Si quiere oír la voz de un cantor, escuche la canción. Mire, escuche, tenga esperanza de que un día le será dado ver y reconocer interiormente...

La paz

El día que dejen de viajar, llegarán.

Había dos monjes que vivieron juntos durante cuarenta años y nunca discutieron. Ni siquiera una vez.
Un día, uno le dijo al otro: "¿A usted no le parece que es hora de que discutamos por lo menos una vez?"
El otro monje dijo: "¡Está bien, comencemos! ¿Sobre qué discutiremos?"
"¿Que le parece este pan?", respondió el primer monje.
"Está bien, vamos a discutir sobre el pan. ¿Cómo haremos?", preguntó el otro monje.
Contestó el primero: "Ese pan es mío, me pertenece."
El otro replicó: "Si es así, tómelo."

La paz no es necesariamente destruida por la disputa o la discusión. Quien destruye la paz es el yo.
"Eso me pertenece y no voy a compartirlo con nadie."
Cuando tomo esa actitud de apego y de egoísmo, mi corazón se va haciendo cada vez más duro.
Ése es el gran enemigo de la paz: un corazón apegado, endurecido y egoísta.
Imagine una nación en la que un grupo de personas posee una gran cantidad de tierras y dinero, y dicen: "No vamos a compartir nuestra riqueza con nadie."
Imaginen que en las Naciones Unidas todas las naciones tomasen esa actitud: "Estamos interesados solamente

en nuestro propio bien, y poco nos importan los otros."
¿Cómo podría haber paz en una situación como ésa?
Corazones endurecidos, naciones endurecidas.
Pero antes de hablar de las naciones,
hablemos de usted y de mí.

Mire su propio corazón. Usted podrá decir:
"¡Hay tantas discusiones y disputas en mi vida!"
Y yo digo: "Pero no hay rencor, ni amargura,
ni odio."
"¡Hay tanto dolor y sufrimiento en mi vida!"
Y yo digo: "Pero no hay ninguna confusión
en su conciencia."
"Hay gran actividad y acción en mi vida."
"Pero no hay desequilibrio nervioso ni tensión."
¿Puede decir eso? Si pudiese, sería constructor
de la paz en el vasto mundo. Y todo propósito
de oración es difundir la paz en todo lugar.
¿Cómo se hace eso? ¿Vamos a hacerlo?
¿Vamos a hacerlo, ahora?
Cierre los ojos. Vamos a hacer un ejercicio
espiritual muy simple que no va a demorar
más que un minuto o dos. Cierre los ojos y tome
contacto con su cuerpo. Esté atento al contacto
de la ropa con los hombros, al contacto de la ropa
con sus caderas. La mano. Sienta su mano
que se apoya en algo o toca la otra. Sienta
las nalgas presionando la cadera. Los pies tocando

los zapatos o el suelo. Otra vez más
los hombros, las caderas, las manos,
las nalgas, los pies.
Otra vez, lentamente, hombros, caderas, manos,
nalgas y pies. Ahora, suavemente, abra los ojos.
El ejercicio acabó.
¿Qué sucedió cuando hizo el ejercicio que propuse?
¿Se sintió relajado o tenso? La mayoría
de las personas se siente relajada, pocos quedan
tensos. Si usted es uno de aquellos que se sienten
tensos, sugiero que entre en contacto
con la tensión. ¿En qué parte de su cuerpo
la siente? Esté lo más atento posible a la tensión.
Se relajará gradualmente.
Si hiciese este ejercicio durante cinco
o diez minutos, comenzaría a quedar somnoliento
y llegaría a dormirse, de tan relajado.

¿Este ejercicio de relajamiento trae la paz de la que hablo? Éste no es un ejercicio de relajamiento, es un ejercicio de atención. ¡Está bien! Pero, ¿trae la paz? ¡Sí! Trae paz. Aunque le parezca difícil de creer. ¿Usted sabe lo que sucede cuando hace este ejercicio? Es como si entrase en usted mismo. Es como si sintiese todas las cosas, como si experimentase y viese cosas sorprendentes.

Cierto día, Dios estaba cansado de las personas.

Ellas estaban siempre molestándolo, pidiéndole cosas.

Entonces dijo: "Voy a irme y a esconderme por un tiempo."

Entonces reunió a sus consejeros y dijo: "¿Dónde debo esconderme?"

Algunos dijeron: "Escóndase en el tope de la montaña más alta de la Tierra."

Otros: "No, escóndase en el fondo del mar. No van a hallarlo nunca allí."

Otros: "No, escóndase en el otro lado de la Luna; ése es el mejor lugar. ¿Cómo lo hallarían allí?"

Entonces Dios se volvió hacia el más inteligente de sus ángeles y le inquirió: "¿Dónde me aconsejas que me esconda?"

El ángel inteligente, sonriendo, respondió: "¡Escóndase en el corazón humano! ¡Es el único lugar adonde ellos no van nunca!"

¡Bella historia hindú! Sencilla y muy actual.

¿Recuerda aquel simple ejercicio de atención que propuse? Él lo lleva a su corazón. Él lo lleva a su casa. Eso es lo que significa volver al corazón. Usted vuelve a su hogar, vuelve a sí mismo, de una manera muy simple. Todo lo que debe hacer es tomar contacto con su cuerpo. Pero usted tiene que hacer eso para sí mismo. Si es constante,

con el tiempo irá descubriendo cosas misteriosas que le traerán paz, su corazón será pacificado y los miedos desaparecerán. Pero para esto es necesario tiempo. No hay fórmula instantánea para la paz. Es necesario buscarla con tranquilidad. Usted puede decir que, justamente, le falta tiempo. Pero vamos a suponer que esté conduciendo un coche. Sienta la dirección en las manos, sienta el asiento, sienta los pies tocando los zapatos, tome contacto con su cuerpo... ¡No vaya a cerrar los ojos! Sienta el movimiento de su cuerpo cuando está andando. Eso lo calmará, y espero que descubra algo de lo que esos ejercicios pueden dar. Y estará lo suficientemente motivado como para intentar hacer el ejercicio, para sentarse realmente y tomar contacto con las sensaciones de su cuerpo: comenzando en el tope de la cabeza, atendiendo todas las sensaciones de su cuerpo. Rostro, cuello, pecho, etc., hasta la punta de los pies. Después comience de nuevo, del tope de la cabeza hacia abajo. Así se hace.
Déjeme decirle algunos efectos de estos ejercicios, aunque casi nunca se puede disertar sobre ellos: ¡Haga y verá!, es lo que se dice en Oriente. Pero, ¿qué debe suceder con el que haga este ejercicio? La primera cosa: va a sentirse vivo, va a estar en el presente. Y eso es una cosa extraordinaria. ¡Poder estar realmente

en el presente! ¿Usted no recuerda dónde pone las cosas? ¿Está siempre tenso, al borde del agotamiento? ¿No puede concentrarse? ¿No se acuerda de nada? Ésos son síntomas de que necesita vivir en el presente.

Un gran gurú de Oriente estaba hablando para un grupo de ejecutivos. Dijo: "Así como el pez muere en la tierra seca, ustedes morirían si quedaran enredados en los asuntos del mundo. El pez debe volver al agua, allá es donde vive. Ustedes deben volver a su propio corazón."

Entonces, los ejecutivos dijeron: "¿Quiere decir que debemos abandonar nuestros negocios y entrar a un monasterio?" "No, no", dijo el gurú. "No dije entrar en un monasterio; continúen con sus negocios y vuelvan a su corazón."

¿Entiende? Volver al corazón no significa entrar en una especie misteriosa de fantasía mística. Significa volver a casa, a usted mismo; significa volver al presente. A partir de entonces, usted vivirá.

Hay otra cosa que esos ejercicios proporcionan: ellos lo ayudarán a tener calma, y usted se volverá

más pausado. La velocidad es una cosa maravillosa: no tengo nada en contra de ella. Pero cuando la velocidad se vuelve prisa, es un veneno.
Los japoneses tienen un proverbio al que deberíamos prestar atención: El día que dejen de viajar, ustedes llegarán.
Y yo diría: El día que ustedes paren de correr, llegarán.
Eso me recuerda a un padre que estaba con los hijos en un museo y decía: "¡De prisa, de prisa, porque si se parasen a mirar cada cosa, no verían nada!"
Eso es lo que hay de terrible en la vida, eso es lo que todos nosotros estamos haciendo. Pasamos toda la vida intentando economizar tiempo, y estamos perdiendo nuestra propia vida. ¿Saben? Es como Jesús decía: ***Ganaste el mundo y perdiste tu alma.***
Me acuerdo de un muchacho que viajaba con su esposa. Él era loco por la velocidad. Su mujer tomó el mapa y dijo: "¡Querido, estamos en la ruta equivocada!"
Y él: "No importa, estamos batiendo un récord."
Ahí está la terrible vida moderna. Eso es posiblemente lo que todos estamos haciendo. Pero, ¿sabe lo que el ejercicio que propuse hará con usted? Lo volverá más lento.
¿Cuánto tiempo le toma llegar al trabajo? ¿Veinte minutos? Pase a emplear veintiuno. Sé que algunas personas van a pensar que estoy loco, ¡pero, gaste veintiuno!
¿Cuánto tiempo le lleva tomar café? ¿Diez minutos? ¡Tómelo en once! Felicítese por los pocos segundos

que agregue a cada cosa que haga. En una semana comenzará a estar en el presente.
Un hindú, hombre de negocios, me contó que tenía mucho miedo de entrar en meditación, porque pensaba que se perjudicarían sus negocios. Los ejercicios que estoy dando son precisamente para gente ocupada, activa. No son para ningún místico recluso, ¡muy lejos de eso! Ese hombre de negocios me dijo entonces que tenía miedo de hacer meditación, pero al practicar los ejercicios que le estoy recomendando, los negocios de él se triplicaron.
¿Saben por qué? Porque estaba más relajado, más concentrado. Pasó a hacer una cosa por vez.
Ése es el gran beneficio de la oración: la concentración. Usted comienza a hacer una cosa por vez, y está totalmente presente en cada acto que emprende.
Es fácil entender por qué los negocios de aquel hombre mejoraron y por qué él se volvió más eficiente.
¿Serán espirituales estos ejercicios? ¿Esto es meditación? Afirmo que sí. Hay millones de personas en Oriente que solamente hacen eso, nada más, y alcanzan una alta espiritualidad. Ahí está el punto clave de la oración: Dios y la espiritualidad deben ser encontrados en la vida. No fuera de ella. ¿Recuerda cuando hablaba del silencio? Lo mismo vale aquí.
¿Y la oración? Todo depende de cómo la defina. Si por oración entiende conversación con Dios, no, aquí no se trata de oración, porque usted no está conversando con Dios en tanto da atención a las sensaciones

del cuerpo, del movimiento del cuerpo cuando camina. Pero si por oración entiende unión con Dios, esto es oración, sí. Usted llegará a la oración por medio de aquel simple ejercicio que le di: prestar atención a las sensaciones del cuerpo.
Hay muchos otros beneficios que ese ejercicio le traerá. Beneficios espirituales: aceptación, por ejemplo. Pero va a descubrir eso por sí mismo. Suponga que alguno no tenga paciencia y perseverancia para continuar haciendo este ejercicio. En ese caso, recomiendo otros dos simples ejercicios espirituales.
El primero es un ejercicio de aceptación:
"Señor, dame la gracia de cambiar lo que puede ser cambiado, aceptar lo que no puede serlo, y sabiduría para entender la diferencia."
¡Hay tantas cosas en nuestras vidas que no pueden ser cambiadas! Somos impotentes, y si aprendemos a decir sí a esas cosas, llegaremos a la paz. La paz está en el sí. Usted no puede detener el reloj, no puede evitar la muerte de una persona querida, no puede cambiar las limitaciones de su cuerpo, sus incapacidades.

> ***Póngase, pues, frente a las cosas que no puede cambiar. Y diga sí. De esa forma, estará nombrando a Dios. Claro que es difícil. No se fuerce. Pero si pudiese decir sí en el corazón, estaría diciendo sí a la voluntad de Dios.***
> ***Perseverando en esta actitud, tendrá paz***

en las mismas cosas que está luchando para modificar.

El segundo ejercicio suplementario es el del desapego. Piense en su época de niño, cuando porfiaba con una cosa tan tenazmente, que no podía desistir de ella. No era capaz de vivir sin ella. Piense en alguna cosa que detestaba y odiaba cuando niño, o en alguna de las cosas que temía. Muchos de estos miedos persisten hasta hoy. ¿Qué pasó con ellos? Pasaron, ¿no?
El ejercicio es el siguiente:

Haga una lista de las cosas de las cuales usted depende, de las cosas de las cuales se siente dueño, de las que no se quiere deshacer. Y diga a cada una de ellas: "Todo esto pasará."
Haga una lista de las cosas que le desagradan y que no puede soportar; dígale a cada una: "Esto también pasará."

Cuando Jesús nació, los ángeles cantaron la paz, y cuando murió nos dejó un regalo: su paz. *Yo les doy mi paz*.
La paz es un regalo, no podemos producirla, mucho menos crearla. Todo lo que podemos hacer es disponer nuestros corazones para recibirla.
¿Recuerda aquel general sirio que fue a un

profeta de Israel para curarse de la lepra, y el profeta le dijo: "Ve y báñate siete veces en el Jordán"?
El hombre se indignó y dijo: "¿No tenemos ríos mejores en mi país? ¿Y yo tengo que bañarme en ese río Jordán? ¡Pensé que ese profeta iba a imponerme las manos y curarme!"
Uno de los siervos dijo al general: "Señor, si el profeta le hubiese dicho que hiciese algo difícil, usted lo habría hecho. Pero le pidió una cosa fácil, simple."

Experimente esos ejercicios simples y fáciles. No creerá en los efectos que tendrán sobre usted. Pero cuando experimente los efectos, no necesitará ya creer.

La alegría

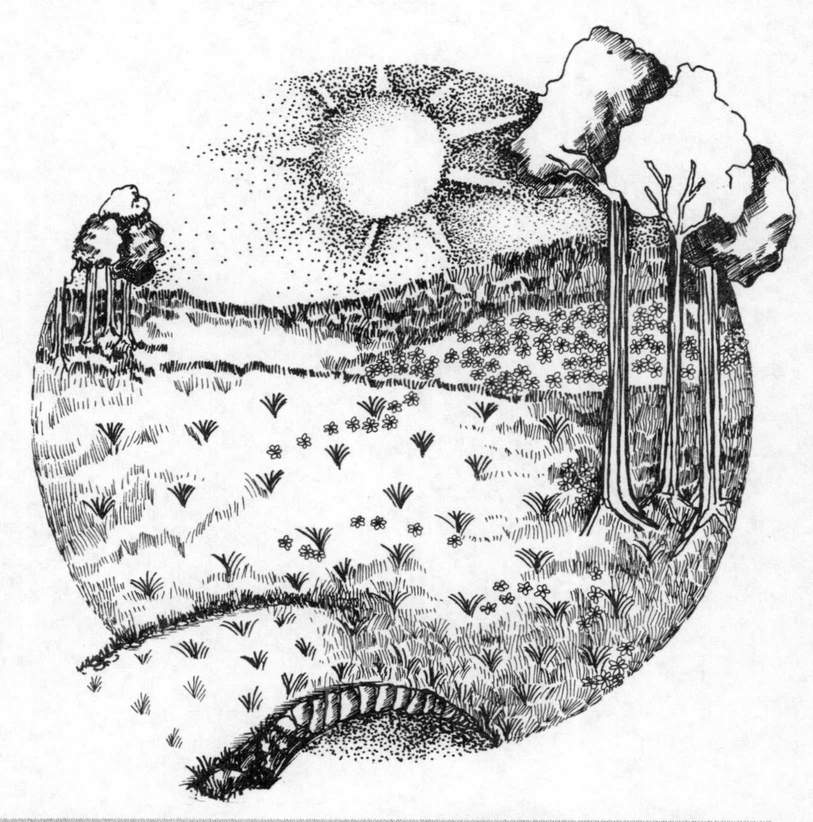

***Encontremos la riqueza
que nos torna capaces
de verter hacia afuera la riqueza.***

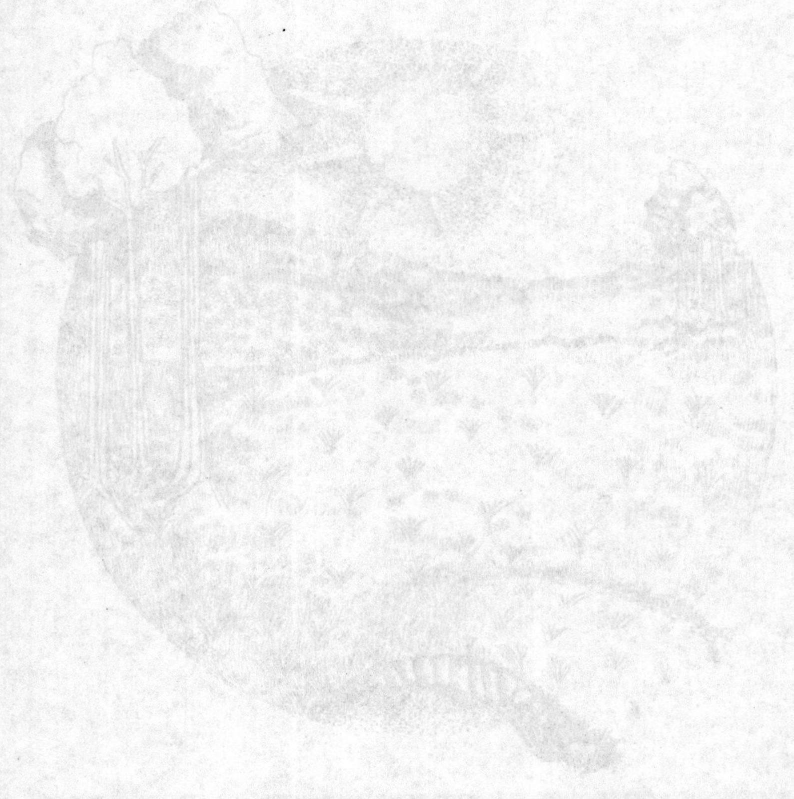

Una de las frases más frecuentemente repetidas en la literatura cristiana es la de Agustín: *Nuestros corazones fueron creados para vos, Señor, y estarán sin descanso hasta que descansen en vos.*
Siempre que escucho esta frase, me acuerdo de otra, que uno de nuestros mayores poetas místicos de la India, Kabir, hizo famosa. Él escribió un lindo poema que comienza con la siguiente frase:
Reí cuando me dijeron que un pez dentro del agua tiene sed.
Fije esa imagen: ¡un pez con sed dentro del agua! ¿Cómo puede? ¡Nosotros, seres humanos, envueltos en Dios, sin hallar descanso! Mire la Creación: árboles, pájaros, hierba, animales... ¿Sabe una cosa? Toda la Creación está llena de alegría. ¡Toda la Creación es feliz! Sé que hay sufrimiento, dolor, crecimiento, declinación, vejez y muerte. Todo eso está en la Creación, pero ¡si usted comprendiese realmente lo que significa la felicidad! Sólo el ser humano tiene sed, sólo el corazón humano está inquieto. ¿No es eso extraño? ¿Por qué el ser humano es infeliz y qué se puede hacer para transformar esa infelicidad en alegría?
¿Por qué las personas están tristes? Por tener ideas equívocas y actitudes erróneas.
La primera idea equívoca que las personas tienen es que la alegría significa euforia, sensación de placer, diversión. Basadas en esa idea, las personas van en busca de drogas

y estimulantes, y acaban deprimidas. La única cosa con la cual debemos intoxicarnos es con la vida. Es un tipo de droga tranquila, pero duradera. Ésa es la primera idea equívoca de la cual debemos librarnos. Alegría no significa estar eufórico, no necesariamente.

La segunda idea equívoca es pensar que podemos perseguir nuestra felicidad, que podemos hacer alguna cosa para conseguirla. Estoy casi contradiciéndome aquí, porque luego diré lo que podemos hacer para alcanzar la felicidad, pero la felicidad no puede ser buscada en sí misma. La felicidad es siempre una consecuencia.

La tercera y tal vez la más determinante idea equívoca sobre la felicidad es la de que ésta se encuentra en lo exterior, en las cosas externas, en las otras personas. "Cambiando de empleo, tal vez sea feliz", o, quién sabe, "mudándome del lugar en el que vivo, casándome con otra persona, tal vez sea feliz", etc. La felicidad nada tiene que ver con lo exterior. Dinero, poder, respetabilidad, *parecen* traer la felicidad. Pero no la traen. Las personas pobres pueden ser felices.

Me acuerdo de la historia de un prisionero del nazismo.

El pobre hombre era torturado todos los días. Un día lo cambiaron de celda. En la nueva celda había una claraboya, por la que podía ver un pedazo de azul durante el día, y algunas estrellas por la noche. El hombre quedó extasiado y escribió a los suyos sobre esa gran suerte.

Al leer esa historia, miré por mi ventana. Yo tenía toda la extensión de la naturaleza para apreciar. ¡Era libre, no un prisionero, podía ir adonde quisiese! Pienso que tuve una fracción de la alegría de aquel pobre prisionero.

Recuerdo que leí una novela sobre un prisionero en un campo de concentración soviético, en Siberia. El pobre hombre era despertado a las cuatro de la mañana; le daban un pedazo de pan. Él pensó: "Es mejor guardar un poco de este pan, porque puedo necesitarlo por la noche. No puedo dormir de tanta hambre. Si como de noche, tal vez duerma."

Después de trabajar todo el día, se echó en la cama, con el cobertor que apenas lo abrigaba y pensó: "Hoy fue un buen día. Hoy no tuve que trabajar en el viento helado. Y esta noche, si me despierto con hambre, tengo un pedazo de pan, lo como y duermo bien."

¡Alegría, felicidad! ¿Puede creerlo?

Una vez, conocí a una mujer paralítica. Todos preguntaban: "¿Dónde encontraste esa alegría que transparentas todo el tiempo?"

"Tengo todas las cosas más encantadoras de

la vida. Puedo hacer las cosas más lindas de la vida."

¡En el hospital, paralizada y llena de alegría! ¡Mujer extraordinaria!

La alegría no se encuentra en lo exterior. Líbrese de esa noción equívoca, o nunca la encontrará.
Hay otra cosa de la cual usted debe deshacerse, si quiere hallar la felicidad y la alegría. Tenemos que cambiar algunas de nuestras actitudes. ¿Cuáles son? La primera es la actitud del niño vuelto únicamente hacia sí mismo. Ya ha oído a un niño decir: "Si no juegas conmigo, me voy a casa."
Examínese. Piense en lo que le causa infelicidad y vea si puede detectar esa frase que dice casi inconscientemente: "Si no consigo eso, o aquello, me niego a ser feliz." "Si no me dieran eso, o no sucede aquello, me niego a la felicidad."
Muchas personas no son felices porque están imponiendo condiciones para su felicidad.
Investigue si esa actitud existe en su corazón y expúlsela.

Hay una excelente historia sobre un hombre que estaba siempre importunando a Dios con toda clase de pedidos. Un día, Dios lo miró y le dijo: "Ya estoy harto; tres pedidos y no

más. Tres peticiones, y después de darte eso, no te daré nada más. ¡Di tus tres deseos!"
El hombre quedó encantado y preguntó: "¿Puedo pedir cualquier cosa?"
Y Dios dijo: "¡Sí! ¡Tres pedidos y nada más!"
Y el hombre habló: "El Señor sabe, tengo vergüenza de hablar, pero me gustaría librarme de mi mujer, porque es una aburrida y siempre está... el Señor sabe. ¡Es insoportable! No logro vivir con ella. ¿Podrías librarme de ella?"
"Está bien", dijo Dios, "tu deseo será satisfecho." Y la mujer murió.
El hombre se sentía culpable por el alivio que sentía, pero estaba feliz y aliviado, y pensó: "Voy a casarme con una mujer más atractiva." Cuando los parientes y amigos fueron al funeral y comenzaron a rezar por la difunta, el hombre volvió de pronto en sí y exclamó: "Mi Dios, yo tenía esta mujer encantadora, y no la apreciaba cuando estaba viva." Entonces se sintió muy mal, fue corriendo al encuentro de Dios y le pidió: "Tráela de vuelta a la vida, Señor."
Dios respondió: "Está bien, segundo deseo concedido."
Ahora le quedaba sólo un deseo. Pensó: "¿Qué debo pedir?" Y fue a consultar a los

amigos. Algunos dijeron: "Pide dinero; si tienes dinero, puedes tener lo que quieras."
Otros: "¿De qué te servirá el dinero si no tienes salud?"
Otro amigo dijo: "De qué te servirá la salud si un día morirás. Pide la inmortalidad."
El pobre hombre ya no sabía qué pedir, porque otros decían: "¿De qué sirve la inmortalidad si no tienes nadie a quien amar? Pide el amor."
Entonces pensó, pensó... y no consiguió llegar a ninguna conclusión, no conseguía saber lo que quería. Cinco, diez años...
Un día le dijo Dios: "¿Cuándo vas a hacer tu tercer pedido?"
Y el pobre hombre dijo: "¡Señor, estoy muy confuso, no sé qué pedir. ¿Podría el Señor decirme qué pedir?"
Dios se rió cuando oyó esto y dijo: "Está bien, te digo lo que debes pedir. Pide ser feliz, no importa lo que te pase. ¡Ahí está el secreto!"

La segunda actitud errada es la del apego. Si usted se apegase a emociones negativas, nunca sería feliz. No estoy diciendo que no pueda tener lo que se llama emociones negativas. ¡No sería humano! Si nunca se sintiese ansioso o deprimido, si no se entristeciese

por alguna pérdida, no sería humano. Puede sentir emociones negativas. ¿Sabe qué es lo malo? Cuando se apega a ellas.

Experimente este ejercicio. Puede ser un poco difícil, pero es muy provechoso. Sus amarguras, sus celos, sus culpas, sus resentimientos. Pregúntese: "¿Qué sucedería si yo los dejase de lado?"

En Oriente, tenemos un profundo ejercicio espiritual llamado *Koan*. Es un cuestionamiento que el maestro presenta al discípulo y que no tiene respuesta racional. Por ejemplo, ¿cuál es el sonido de aplaudir con una sola mano? ¿Cuál era la forma de su rostro antes de que usted naciese?

Quiero darle un* Koan *como ejercicio. Pregúntese a sí mismo: ¿Qué sucedería si yo me desprendiese de mis emociones negativas, mi culpa, mi amargura, mis resentimientos, mis celos? Si usted se queda con esa pregunta, con ese* Koan*, ¿sabe qué puede pasar? El miedo puede mostrar su cara. Continúe haciendo la pregunta. ¿Qué sucederá? Puede hacer un gran descubrimiento.

Propongo cuatro ejercicios simples como auxilio, para que

pueda encontrar la alegría y la felicidad.
Y no voy a describir el primer ejercicio. Descúbralo en la historia que paso a relatar:

> Hubo un gran maestro zen, llamado Ryokan. Habitaba al pie de una montaña y vivía una vida muy simple. Un día, un ladrón entró en su casa, pero no encontró nada que robar. Mientras el ladrón estaba allí, el maestro volvió y lo descubrió.
> Dijo Ryokan: "Usted viajó una gran distancia para venir a asaltarme. No puede irse con las manos vacías." ¡Y le dio todas sus ropas y su manta!
> El ladrón, completamente confundido, tomó las ropas y desapareció. Después que él salió, el maestro se sentó a la puerta de su casa, miró el deslumbrante claro de luna y pensó: "¡Qué pena! ¡Hubiese querido poder darle esta luna deslumbrante!"

¿Qué tipo de ejercicio recomienda esta historia? Tiene que descubrirlo. Ese ejercicio y el *Koan* son excelentes para quien busca resultados a largo plazo. ¿Quiere resultados a corto plazo? ¿Quiere experimentar la alegría inmediatamente? ¿Quiere experimentar la felicidad ya? Intente estos tres ejercicios que recomiendo.

Primero, intente decir: "¡Qué suerte tengo! ¡Qué agradecido estoy!" ¿Sabe una cosa? Es imposible estar agradecido y no ser feliz.

Hay una historia de un hombre que, un día, fue hasta su rabino y le dijo: "¡Rabino, tiene que ayudarme! ¡Mi casa es un infierno! Vivimos en una habitación yo, mi mujer, mis hijos y mis cuñados. ¡Es un infierno! No hay espacio para todos."

El rabino sonrió y dijo: "Está bien, yo lo ayudo, pero tiene que prometerme hacer lo que yo diga."

Y el hombre: "¡Prometo! ¡Prometo de verdad! ¡Es una promesa solemne!"

Dijo el rabino: "¿Cuántos animales tiene?

El hombre: "Una vaca, una cabra y seis gallinas."

El rabino dijo: "Ponga los animales dentro del cuarto, y vuelva dentro de una semana."

El hombre no podía creer lo que oía, pero había prometido. Entonces, volvió a su casa deprimido y llevó los animales dentro de la habitación. A la semana siguiente volvió desconsolado y dijo al rabino: "¡Estoy enloquecido! Voy a acabar con un infarto. Usted debe hacer algo..."

Y el rabino: "Vuelva a casa y saque los animales. Dentro de una semana, venga a verme." El hombre fue corriendo hasta su casa. Y cuando volvió, a la semana siguiente, sus ojos brillaban, y dijo: "Rabino, la casa es una maravilla, ¡tan limpia! ¡Es un paraíso!" ¿Entendió? Yo no tenía zapatos y siempre estaba protestando por falta de zapatos, ¡hasta que conocí a una persona que no tenía pies!

Piense en aquella extraordinaria mujer, Helen Keller. Sorda, muda, ciega y aun así desbordante de vida. Si usted puede estar agradecido, encontrará el secreto de la felicidad. Experimente.
Póngase en lugar de aquella paralítica de la que le hablé antes. ¡Póngase en lugar de ella! Podría echarse al suelo, para sentir mejor aquella sensación. Imagínese paralítico y diga: "¡Puedo hacer las cosas más lindas del mundo! ¡Tengo las cosas más lindas del mundo!" Descubra las cosas más lindas. Y encontrará el amor, el gusto, el olor, la visión, el sonido. Empezará a oír el canto de los pájaros, el viento en los árboles y la voz de sus amigos; verá el rostro de ellos. Descubrirá todas esas cosas y podrá saborear el secreto de la gratitud.
Hay un ejercicio más que se puede practicar.

Es muy simple: piense en el día anterior. Rememore todos los acontecimientos de ayer, uno después del otro, y esté agradecido por todos los acontecimientos, diga **gracias.** ***Diga: "¡Gracias!" "¡Qué suerte tuve de que eso me pasara a mí!" Probablemente, también recordará algo desagradable. Entonces deténgase. Piense: "Eso que me pasó fue puesto ahí por mi bien." Piense así, diga gracias, y continúe.***

El último ejercicio que presento tiene que ver con la fe. Los dos anteriores eran sobre la gratitud. Éste es sobre la fe. La fe de que todo es dado o permitido por Dios para el bien de cada uno de nosotros.

Llamo a este ejercicio **bendición.** ***Piense en los acontecimientos del pasado, agradables o no. Y diga: "¡Me hicieron bien, fueron buenos!" Piense en las cosas que le pasan y diga: "Está bien, está bien..." Piense en el futuro y diga: "Será bueno, será bueno..." Y vea lo que acontecerá. La fe se transformará en alegría. La fe de que todo está en las manos de Dios y de que todo redundará en felicidad para nosotros.***

Hay una historia de un hombre que corre al encuentro de un monje que está pasando por la aldea: "¡Déme la piedra, la piedra preciosa!"

Dijo el monje: "¿De qué piedra hablas?"
El hombre: "Ayer a la noche, Dios se me apareció en un sueño y me dijo: *Un monje estará pasando por la aldea mañana al mediodía, y si él le da una piedra que lleva consigo, usted será el hombre más rico del país*. ¡Entonces, déme la piedra!"
El monje revolvió en su hábito y sacó un diamante, el mayor diamante del mundo, ¡del tamaño de la cabeza de un hombre! Y dijo: "¿Es ésta la piedra que quieres? Yo la encontré en el bosque. ¡Tómala!"
El hombre tomó la piedra y se fue corriendo a su casa. Pero aquella noche no pudo dormir. A la mañana siguiente, muy temprano, fue adonde el monje dormía, debajo de un árbol, y habiendo comprendido le dijo: "Aquí tienes de vuelta tu diamante. Quiero la riqueza que nos torna capaces de verter hacia afuera la riqueza."

Eso es lo que tenemos que descubrir si queremos hallar la alegría.

La vida

Ser usted, ser ahora, estar aquí.

Un día, Buda estaba sentado con todos sus discípulos en círculo, cuando apareció un anciano y dijo: "¿Cuánto tiempo quieres vivir? ¡Pide un millón de años y te serán dados!" Buda respondió sin dudar: "¡Ocho años!"

Cuando el anciano desapareció, sus discípulos, desconcertados, preguntaron: "Maestro, ¿por qué no pidió un millón de años? ¡Piense en el bien que haría a centenas de generaciones!"

Y el viejo hombre respondió con una sonrisa: "Si yo viviese un millón de años, las personas se volverían más interesadas en prolongar sus vidas que en buscar la sabiduría."

¿Sabe lo que quiso decir? Que ellas estarían más interesadas en sobrevivir que en mejorar la calidad de sus vidas. ¡Y qué verdad es ésta! ¡Qué pocos gastan tiempo y energía para mejorar la calidad de su existencia! Usted puede morir sin haber vivido. Las personas piensan que están vivas porque están respirando, comiendo, hablando, conversando, andando de un lado para otro. No están muertas, es claro. Pero, ¿estarán vivas? No están vivas ni muertas realmente. ¿Qué significa estar realmente vivo? Significa tres cosas: ser usted, ser ahora y estar aquí. Estar vivo significa ser usted. En la medida en que usted es usted, usted está vivo. Podemos preguntar: "¿Yo no soy

yo? ¿Quién sería yo si no fuese yo?" Es muy posible que usted no sea usted, que sea una marioneta. Supongamos que usted tiene un perro. Insertamos un receptor electrónico en su cerebro y lo mandamos al otro lado del mundo, a China, digamos. Y desde aquí le vamos enviando señales. Decimos: "¡Levántese!" Y el perro se levanta. "¡Siéntese!" Y el perro se sienta. "¡Échese!" Y el perro se echa. Y todo el mundo se admira: "¿Qué pasa con este perro?" Está sujeto a un control remoto. Es una imagen muy apropiada para millones de personas.

La gente viene a consultarme sobre sus problemas espirituales y emocionales, y muchas veces quedo preguntándome: "¿A qué voces responden las voces de estas personas? ¿A qué voces del pasado?" Y voy encontrando personas curiosas, deprimidas, llenas de prejuicios.

Dijo Einstein que es más fácil desintegrar el átomo que el prejuicio. Las personas no son ellas mismas, de manera alguna; son controladas. ¿Qué resulta de esto? Se vuelven marionetas, tienen comportamientos, sentimientos y actitudes mecánicas. No tienen sentimientos vivos, ni comportamiento vivo, y no lo saben.

Están respondiendo a voces de personas del pasado. Tuvieron algunas experiencias que las afectaron, las controlaron, y a causa de eso no son libres, no están vivas. Es el mayor obstáculo de la vida espiritual.

Si ustedes quisieran ser mis discípulos, tienen que odiar

a su padre y a su madre. **Las personas se escandalizan con Jesús. ¿Qué significa eso?**
Por cierto, Jesús no quiso decir que debemos odiar a nuestros padres. ¡Atención! Debemos amarlos como amamos a todos los seres humanos. Los padres de los que Jesús habla son el Padre y la Madre que cargamos en la mente y que nos controlan. ¡Aquellas voces! De eso tenemos que desprendemos, arrancarnos. Cuando desistimos de existir mecánicamente, dejamos de ser marionetas. ¿Cómo podremos tener una vida espiritual si no estamos vivos? ¿Cómo ser discípulos de Jesús, si somos seres mecanizados, marionetas?
Y la pregunta fundamental: ¿Cómo dejar de estar mecanizados? Hay un ejercicio que nos puede ayudar para eso. Parece fácil, pero no lo es, y si usted persevera, verá la diferencia.
El ejercicio es el siguiente.

> ***Piense en un acontecimiento del pasado reciente. Algo que haya sucedido ayer, o la semana pasada. No evite recordar un acontecimiento desagradable. Si fuese desagradable, es hasta mejor. Usted debe observar su reacción a los recuerdos. ¿Cómo está reaccionando emocionalmente? ¿Qué tipo de convicciones y actitudes tiene en relación con ese acontecimiento? Observe sólo eso y pregúntese a qué voz responde. Tenga el coraje de preguntar: "¿No será ésta la reacción de otra***

persona reaccionando en mí? ¿Alguien del pasado que estoy acarreando?" Ese ejercicio dura pocos segundos, un minuto como máximo. Si usted quisiese alcanzar todos sus efectos, tendrá que demorar más, y observar varios acontecimientos del día. Observe sus reacciones. Observe, no juzgue, no condene, no apruebe, sea un observador imparcial. ¡Observe! No necesita hacer las preguntas que sugerí. Si eso lo distrae, no pregunte. Observe. El mecanismo desparecerá, la vida comenzará a entrar, y notará el cambio.

**Conozco a un paralítico extraordinario. Me dijo:
"Sabe, padre, yo comencé a vivir realmente después
de que quedé paralítico. Por primera vez en la vida,
tuve tiempo de mirarme a mí mismo,
ver mi vida, mis reacciones y pensamientos.
Mi vida se hizo mucho más profunda,
más rica y mucho más atractiva que antes."
¿No es notable que un paralítico haya encontrado la vida
y que tantas personas que caminan libremente de un lado
para el otro, no la hallen, porque están paralizadas
por dentro?
Ése es el gran bloqueo: ¡falta de tiempo! Todo el mundo
me dice que no tiene tiempo. "¿De dónde voy a sacar
tiempo para hacer eso?" Bien: ¿en qué están empleando
el tiempo? ¿Manteniendo esa existencia mecánica?
Eso me recuerda al ladrón que le reclama a un hombre:**

"¡El dinero o la vida!" Y el hombre dice: "Bien, es mejor que me quites la vida, ¡porque el dinero lo necesito para mi vejez!"
Si a usted le parece que esto es gracioso, piense en las personas que dicen: "Es mejor que me quiten la vida, porque necesito tiempo para mantener mi vida diariamente." Sería cómico si no fuese trágico.

Observe sus reacciones a cada acontecimiento del día, observe sus convicciones. ¡Cuestiónese! ¿Está abierto para cuestionar sus convicciones? Si no lo está, tiene prejuicios y está mecanizado.

Me acuerdo de un brillante joven rabino, que sucedió a su brillante padre, también rabino. Las personas le dijeron entonces: "Rabino, usted es totalmente distinto de su padre."
El joven rió: "¡Soy exactamente igual a mi padre! Mi padre no imitaba a nadie y yo no imito a nadie. Él no era una copia con papel carbónico, tampoco yo."
Eso es lo que significa estar vivo, ser único. Desprenderse de las voces y del control remoto. Y usted va a conseguirlo a través de la observación.
Hay una segunda cosa que usted necesita para estar vivo: *estar ahora*. ¿Qué significa esto? Significa, en primer lugar, entender algo que poquísimas personas entienden. Que el pasado es irreal, que el futuro es irreal y que vivir en el pasado o en el futuro es estar muerto. Sé que hay

cosas maravillosas en el pasado, que podemos aprender lecciones de él, que el pasado influyó en nosotros y nos modeló. ¡Perfecto! ¡Pero él no es real! Debemos planear el futuro. De hecho, si no hubiese planeado el futuro, es poco probable que me estuviese leyendo ahora.
Pero el futuro tampoco es real, es una noción de nuestra mente. Y en tanto que usted viva en el pasado o en el futuro, no va a estar ahora, no va a estar aquí.
Una familia va a viajar a Suiza por tres días. Pasan meses planeando las vacaciones y, cuando llegan, pierden la mayor parte del tiempo planeando el viaje de regreso. Cuando están en Suiza, en vez de aprovechar aquel escenario deslumbrante, en vez de respirar la atmósfera, se ocupan de sacar fotografías para mostrar a los amigos. Fotografías de lugares en los que nunca estuvieron. Estuvieron físicamente, pero no estaban realmente allá, estaban en otro lugar. ¡Vacaciones irreales, vida irreal!
Vivimos en una cultura futura. La cultura del mañana. Mañana seré feliz; mañana viviré. Apenas llegue al colegio, viviré; cuando esté en la universidad, viviré. Y cuando llegue a la universidad, dirá: "Cuando me case, viviré." Después que esté casado: "Bien, cuando los niños crezcan, voy a vivir." Cuando los niños sean grandes, ¡no sabrá qué significa vivir! Y muy probablemente, va a morir sin haber vivido.

¿Está listo para recibir un impacto? ¡Escuche! Examine su propia vida. Observe todos

sus pensamientos, y verá cuán frecuentemente están en el pasado y en el futuro. Ver qué poco vivo está en el presente, ver qué poco vivo está, es un impacto. Piense en eso de esta manera: está quitando la cáscara a una naranja para luego chuparla. Si su mente está del todo fija solamente en comer la naranja, ¿sabe qué puede pasar? Usted no estará quitando la cáscara a la naranja porque no estará allí. Y cuando chupe esa naranja, no la estará saboreando, porque estará en un sitio diferente.

Un viejo y sabio barquero transportaba peregrinos a un santuario. Un día le preguntó alguien: "¿Usted ya fue al santuario?"
El barquero respondió: "No, todavía no, porque todavía no descubrí todo lo que el río tiene para ofrecerme. En este río encuentro la sabiduría, encuentro la paz, encuentro a Dios."
Pero los peregrinos ni siquiera percibían el río, sus mentes estaban fijas en el santuario; no podían ver el río.

¿Podría ser ésta la historia de nuestras vidas? Es como lavar la jarra para beber café, sin lavar realmente la jarra, porque no estamos nunca allí, y nunca tomamos café, porque no estamos allí, y así en lo sucesivo. Esto

es una tragedia. ¡Perdemos nuestra vida! ¿Cómo remediar esto?

Una leyenda dice que Buda viajó por todo el país en busca de iluminación, fue uno de los mayores maestros de su época, practicó todas las disciplinas y las espiritualidades que había, pero no llegó a la iluminación. Finalmente desistió. Desesperado, se sentó debajo de una higuera y fue iluminado. Años después, sus discípulos preguntaron: "Maestro, ¿nos cuenta el secreto de la iluminación? ¿Cómo la consiguió?"

No existe ningún secreto, no hay técnica. Y el viejo intentaba explicar eso. Pero los discípulos querían la técnica. Entonces Buda —lo imagino guiñando el ojo— dijo: "Está bien, voy a darles una técnica. Cuando estén inspirando, sean conscientes de que están inspirando. Y cuando estén espirando, sean conscientes de que están espirando."

¿No es extraordinario? No parece muy espiritual. ¿Sabe cuál era la intención de él? ¡Quería que los discípulos entrasen al presente! Él sabía, como iluminado que era, que Dios no es mañana. Dios es ahora. La vida no es mañana, es ahora. El amor no es mañana, es ahora. La iluminación es ahora. Si usted viene al presente,

ella puede manifestarse. Sí. *Puede manifestarse.*
Esto es muy similar al ejercicio para alcanzar la paz, ¿se acuerda?

> ***Haga una cosa por vez y verbalice internamente lo que está haciendo. Ése es un ejercicio muy bueno para entrar en el presente, para vivir en el ahora de la vida. Ésa es la segunda cosa que necesita para estar vivo. Para ser usted, estar ahora.***
> ***Vamos a la tercera cosa: estar aquí. Esto quiere decir salir de su cabeza y volver a los sentidos, literalmente. Salir de la abstracción y entrar en la experiencia.***

Hay una historia sobre un soldado norteamericano, en la guerra de Corea. Sentía mucha nostalgia de su casa el día de Acción de Gracias, y una pareja que había pasado muchos años en los Estados Unidos lo invitó a comer. Cuando el hombre llegó, para su gran sorpresa y alegría notó que había pavo, su plato preferido. Entonces se sirvió generosamente y, luego, en el momento de la comida, comenzó a discutir con su anfitrión. Cuando la discusión terminó, también terminó la comida. El soldado notó que no había aprovechado el comer, que no había siquiera sentido el gusto del pavo.
***Eso* es lo que yo llamo entrar en el *aquí*.**
Los argumentos son magníficos, las ideas también. ¡Pero las ideas no son la vida! Son excelentes para

guiarnos en la vida. Pero no son la vida. Abstracción no es vida. La vida se encuentra en la experiencia. Es como un menú que es maravilloso leer. Puede guiar su vida por el menú, pero el menú no es la comida. Y si gastase todo el tiempo con el menú, nunca comería nada. Algunas veces, es aun peor, hay personas que se están comiendo el menú. Están viviendo de ideas, perdiendo la vida.

¿Qué hacer para superar esto? Krishnamurti nos avisa: ***El día en que enseñamos a un niño el nombre de un pájaro, el niño cesa de ver el pájaro.*** **El niño mira esa cosa blanda y viva, llena de misterio y sorpresa, y nosotros le enseñamos: es un gorrión. Ahora el niño tiene una idea: gorrión. Y más tarde, siempre que ve un gorrión, va a decir: "Bien, sabe usted, es un gorrión..." Lo mismo se aplica a la idea, vamos a suponer,** ***norteamericano.*** **Siempre que vea una persona de esa nacionalidad voy a decir: "norteamericano". Y pierdo el ser único que es ese individuo.**

¿Cuándo experimentó usted ver a un niño maravillado, mirando esa cosa misteriosa, vibrando y vibrante, que llamamos gorrión? ¿Ve?

Esa palabra, esa idea atraviesa el entendimiento. La idea, la palabra, pueden ser un obstáculo para que veamos el gorrión. La palabra ***norteamericano*** **puede ser un obstáculo para que yo vea realmente al norteamericano frente a mí. La palabra y la idea** ***Dios*** **puede ser un obstáculo para ver a** ***Dios.*** **¿Cómo remediar esto?**

Usted puede hacerlo ahora mismo. Oiga todos los sonidos que pueda detectar a su alrededor. ¿Puede oírlos todos? ¿Sonidos altos, sonidos bajos, el sonido de la voz? ¿Sabe lo que sucede cuando hace eso? Usted entra en sus sentidos, y es allí donde está la experiencia. Allí no hay abstracción, no hay idea. Mire lo que está mirando, escuche lo que está escuchando, toque lo que está tocando, sienta lo que está sintiendo.

Un famoso gurú se iluminó. Sus discípulos le preguntaban: "Maestro, ¿qué consiguió como resultado de su iluminación? ¿Qué le dio la iluminación?"

El hombre respondió: "Bien, voy a contarles lo que ella me dio: cuando como, como; cuando miro, miro; cuando escucho, escucho. Eso fue lo que ella me dio."

Los discípulos replicaron: "¡Pero todo el mundo hace eso!"

Y el maestro se rió a carcajadas: "¿Todo el mundo hace eso? ¡Entonces todo el mundo debe estar iluminado!"

La cuestión es que casi nadie hace eso, casi nadie está aquí, vivo.

Estar vivo significa ser usted, estar vivo significa estar ahora, y estar vivo significa estar aquí.

Obsérvese a sí mismo. A medida que usted se observe, no sólo mentalmente, sino como un observador imparcial, dejará su existencia mecánica y de marioneta y llegará a ser discípulo de Jesucristo. ¡Usted no puede ser discípulo de Jesús si es una marioneta! Si usted está diez por ciento vivo, sólo podrá ser diez por ciento discípulo. ¿Entiende?

Experimente la realidad, venga hasta sus sentidos. Eso lo traerá hacia el ahora. Eso lo traerá a la experiencia. Es en el ahora donde se encuentra a Dios.

Pero, ¿esto es la oración? Oración es hablar con Dios, ¿no? Es cierto, orar es hablar con Dios. Pero, piense en una madre que está enferma, y su hija limpia toda la casa, hace la comida, cuida el jardín. Ella no está hablando con su madre, pero ¡cuánto le está diciendo!

Entre en la Vida y estará atendiendo la causa de Jesucristo... que no nos llama simplemente a una nueva religión, sino a la Vida.

La libertad

***El agua se purifica fluyendo;
el hombre, avanzando.***

Un general japonés fue detenido por sus enemigos y encerrado en la prisión. El hombre sabía que al día siguiente iba a ser torturado. No conseguía dormir; se quedó caminando en la celda, pensando en la muerte. Pero de pronto llegó a una conclusión: "¿Cuándo voy a ser torturado? Mañana. ¡Pero mañana no es real, eso fue lo que los maestros zen me enseñaron!" En el momento en que entendió eso, se calmó y se adormeció.

En la comprensión de que la única cosa real es el ahora, cayó en el sueño. Estaba en prisión, pero era un hombre libre. Los enemigos de la libertad no están fuera, están dentro. Las cadenas que nos atan están aquí. Quiero hablar de estas corrientes, una por una, porque son muchas.

La primera corriente que nos ata y nos impide ser libres está en las experiencias del pasado. Esto es bien fácil de comprender. Una persona que perdió a su madre a los ocho años quedó tan traumatizada por esa experiencia, que no puede acercarse nunca más a nadie. Una mujer que ha sido molestada sexualmente cuando niña, tiene miedo de todos los hombres. Un hombre injustamente acusado y despedido del empleo queda con toda su vida envenenada por la amargura.

Lo primero que nos controla y que nos impide sentirnos libres y vivos son, más que nada, las experiencias

del pasado. ¿Cómo quebrar estas corrientes, cómo ser otra vez libres? Hay un ejercicio muy simple que nos puede ayudar. Los requisitos para hacerlo provechosamente son la fe y la gratitud.

Si usted se descubriese influenciado por una de esas experiencias del pasado, retorne a esa experiencia en un momento de calma, paz y quietud. Si no lo consiguiese, hable con Dios y mantenga la calma. Imagínese junto a Dios, diciéndole: "Señor, es difícil, pero creo y confío en que, si el Señor permitió que eso sucediese, fue para mi bien. Hasta ahora no puedo ver dónde está el bien, pero sé que él existe para mí." Haga esto con suavidad, no sea violento, no se fuerce a sí mismo. Si descubre que se está rebelando demasiado, déjelo estar, continúe otro día. Pero es importante, comenzado el ejercicio, intentar llevarlo hasta el fin. Usted puede sentir que la rabia domina su corazón. Está bien, quédese con rabia. Aun así estará orando. El Señor se alegrará de su honestidad. Después, déjelo para otro día. Es una cosa que lleva tiempo, porque la libertad no se adquiere rápidamente. Cuando sienta en el corazón y le diga a Dios que realmente cree que todo sirvió para su bien, vaya hacia el paso siguiente: agradezca a Dios. Cuando pueda agradecer por el hecho y por el bien que de él

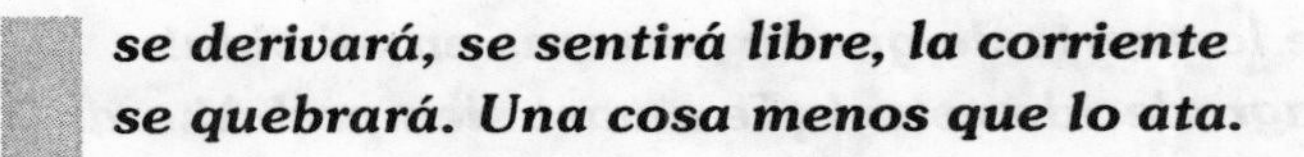

se derivará, se sentirá libre, la corriente se quebrará. Una cosa menos que lo ata.

Otra especie de corriente que nos ata interiormente: las buenas experiencias del pasado. ¿Cómo? ¡Es tan bueno recordarlas y alimentarse de ellas! Pero allí hay un peligro. El peligro es que se contagie aquella enfermedad que se llama añoranza. ¿Sabe lo que sucederá entonces? ¡Va a dejar de vivir! Abandonará el presente. Más aún: probablemente destruirá el presente.
Vamos a suponer que usted haya tenido una experiencia adorable con un amigo. Admirar una puesta de sol, por ejemplo. Otra vez, sale para comer con él. Si usted toma la experiencia hermosa del pasado, la de la puesta de sol, y la coloca dentro de una campana de cristal, llevándola con usted mientras camina junto a su amigo, en secreto abre la campana, mira y dice: "¡Esto no es tan bueno como la experiencia pasada!" ¿Ve lo que ha hecho? Gracias a la experiencia del pasado, destruye el presente. Será menos libre, estará menos vivo. ¡La experiencia del pasado lo dirige!
¿Cómo librarse de eso? Hay un método que puede ser muy doloroso. Dar a luz una nueva vida puede doler.

Pero si usted está dispuesto, piense en algunas de las personas que amó en el pasado y que ya no están con usted por una separación o una muerte. Hable con cada una de esas personas, diciendo:

"¡Tuve la suerte de que tú entraras en mi vida! ¡Qué agradecido estoy! ¡Te amaré siempre! Ahora, adiós, tengo que irme. Si me ato a ti, no aprenderé a amar el presente, y no aprenderé a amar a las personas con las que estoy. ¡Adiós!"
Esto puede ser doloroso. Después, recuerda algunas de las buenas experiencias del pasado y las personaliza. Piense en cada una de ellas y diga: "¡Qué maravilloso fue tenerte, estoy muy agradecido! ¡Pero ahora, adiós!" Eso puede ser más doloroso, ¿sabe?
Hay otro ejercicio que alguno puede sentir más doloroso aún: piense en algunas de sus posesiones del pasado, cosas que usted atesoró, como su juventud, su fuerza, su belleza; personalícelas. Eso puede sonar un poco infantil. Pero no tenga miedo de ser como un niño. ¡Usted puede encontrar el Reino! Dialogue con ellas y diga: "¡Qué maravilloso fue tenerlas! ¡Qué agradecido estoy de haberlas tenido en mi vida! ¡Pero ahora adiós, tengo que irme!"

Muchos ancianos no vivieron nunca ni probaron toda la dulzura, profundidad y riqueza que trae la edad avanzada, porque no dejaron atrás la juventud, la fuerza, la vitalidad. ***Lo mejor está todavía por venir. El fin de la vida fue lo primero en ser hecho.*** **Lo mejor está por venir. Muchas personas pierden el mejor período**

de sus vidas, los días avanzados, porque están demasiado centradas en el pasado, dirigidas por las buenas experiencias del pasado.
Son dos corrientes que nos impiden ser felices.
Un pájaro herido no puede volar, pero un pájaro que se apega a una rama de árbol, tampoco.
¡Deje de apegarse al pasado! Dice el proverbio hindú:
El agua se purifica fluyendo; el hombre, avanzando.
Ahora viene la tercera corriente. La ansiedad y el miedo del futuro. ¿Se acuerda del general japonés? Jesús habla de la misma actitud en un lenguaje más poético: "Mirad los pájaros del cielo, mirad los lirios del campo. Ellos no se preocupan. ¡Por lo tanto, no se angustien!"
¡Qué difícil es alcanzar esa realidad! Hasta Jesús se desarmó frente a la muerte. Quedó deprimido, ansioso. Y si nosotros queremos quebrar la corriente de ansiedad, tenemos que hacer lo que Jesús hizo: enfrentar el miedo y hablar con él como si fuese una persona. Amablemente, sin violencia, porque el miedo está dentro de nosotros, disfrazado de prevención.

> ***Diga al miedo: "Entiendo por qué estás aquí. Pero confío en Dios." Y si encuentra, en el corazón, que puede hacerlo, agradezca previamente por las consecuencias. Eso será de gran ayuda. Agradezca a Dios por todo lo que sucederá.***

La próxima cadena interna que nos esclaviza tiene también

que ver con el futuro: la ambición. Tener ambición puede ser una cosa maravillosa. ¡Pero estar esclavizado por la ambición es horrible! ¡Las personas esclavizadas por la ambición apenas viven! No hay necesidad de explicar esto. Todos nosotros conocemos personas así.

> ***¿Qué hacer si usted es víctima de la ambición? Póngase en presencia de Dios, haga un acto de fe en que el futuro está en manos de Él. Dígale: "Señor, confío en que tienes el control del futuro, voy a hacer todo lo que está a mi alcance para realizar mis sueños pero dejo el resultado en tus manos." Después agradezca por el resultado de su actitud. Eso le traerá paz y libertad.***

La cadena siguiente es el apego a las cosas presentes. El corazón humano es un gran imán, y no es necesario decirlo a voces, porque todo ser humano lo experimenta. Queremos poseer cosas, personas, y no separarnos nunca de ellas. Nos volvemos dependientes y perdemos la libertad. Frecuentemente, no dejamos tampoco que las personas sean libres. Sugiero un ejercicio para liberar nuestro corazón de ese tipo de apego.

> ***Piense en una persona a la cual está profundamente apegado, tan apegado que no la quiere dejar. Hable con esa persona en el pensamiento, imagínela sentada frente a usted,***

hable con ella. Hable amablemente. Diga a esa persona lo que significa para usted y después agregue la fórmula siguiente, que al principio puede resultarle dolorosa. Pero, como dije al comienzo, no se fuerce a sí mismo. Si es doloroso, déjelo para después, cuando sea capaz. Dígale a la persona: "¡Qué valioso eres para mí, cómo te quiero, pero tú no eres mi vida! Yo tengo la vida para vivir, un destino para cumplir, distinto del tuyo." Son palabras duras, pero la vida no siempre es fácil.

Después tome cosas, lugares, ocupaciones, cosas preciosas, de las cuales sea difícil apartarse y dígales algo semejante a cada una de ellas: "¡Qué precioso eres para mí! Pero no eres mi vida, tengo una vida para vivir, un destino para cumplir, distinto del tuyo." Después les dice lo mismo a las cosas más íntimamente ligadas a usted. Cosas que son casi una parte de su ser: reputación, salud. Diga a la vida misma, que un día será engullida por la muerte: "Qué preciosa y amada me eres, pero tú no eres mi vida. Tengo una vida para vivir y un destino para cumplir, distintos de ti." Con toda esperanza, como el resultado de la repetición valiente de esa frase, usted alcanzará la libertad espiritual.

Hay aún otra corriente sobre la que tengo que alertarlo.

Hablamos sobre las experiencias del pasado, las buenas experiencias del pasado, el miedo al futuro, las ambiciones futuras, el apego al presente. Y ahora viene lo que considero la corriente más poderosa de todas.
La más difícil de quebrar. Pero, hagamos un ejercicio.

Usted puede no ser capaz de hacerlo ya, puede necesitar un poco más de tiempo y de paz para realizarlo. El ejercicio consiste en pensar:
"¿Qué existió cien años atrás en este punto en el que estoy sentado?"
¡Use su imaginación! Después, un salto mayor:
"¿Qué existió tres mil años atrás en el lugar en el que estoy sentado?" Es decir, mil años antes del nacimiento de Jesucristo. Y aun así es relativamente cercano, pues los científicos nos dicen que la vida en este planeta existe hace millones de años.
"Y de aquí a tres mil años, ¿que existirá en este punto en el que estoy sentado ahora? ¿Habrá un desierto aquí? ¿Habrá una selva? ¿Habrá otra civilización?"
De una cosa podrá estar seguro: si hay personas aquí, ellas no estarán hablando su lengua, no tendrán sus costumbres, pertenecerán a otra cultura. Ninguna lengua sobrevivió como lengua viva tres mil años. Intente imaginar eso, como si usted viese la Tierra dentro de tres mil años,

buscando este lugar, buscando algún vestigio de su existencia.
¿Sabe qué sucederá? Experimentará un sentimiento de inmensidad. Una especie de sentimiento de liberación. ¿Sabe de qué? De la ilusión de que tiene importancia. Excepto a los ojos de Dios, no tenemos tanta importancia. Piense en uno de esos pajaritos de los que habla Jesús, piense en los lirios, en todas las flores del campo. Piense en los granos de arena, en las gotas de agua, en una gota de lluvia. Piense en usted mismo. ¡Qué insignificantes somos!
Si usted fuese capaz de hacer ese ejercicio con éxito, sería liberado de la mayor tiranía de todas, la tiranía del yo. Usted experimentará la liberación, el alivio y la libertad. Porque no hay nadie tan libre y tan vivo como la persona que aceptó la muerte, la propia insignificancia. Este ejercicio le dará perspectiva y vastedad. Pero necesita tiempo.
Tengo aún otro ejercicio para recomendar, **el ejercicio misterioso,** ***porque no se puede ver de inmediato la conexión que existe entre este ejercicio y la libertad.***
Consiste en lo siguiente: entre en contacto con las sensaciones de su cuerpo. Y después de haber hecho esto durante algunos instantes, tome conciencia de aquel que está observando esas

sensaciones. Y diga: "No soy esas sensaciones, no soy ese cuerpo." Luego observe los pensamientos que están en su mente. Después de algún tiempo, vuelva la atención hacia aquel que está observando los pensamientos, y diga: "No soy esos pensamientos, no soy mis pensamientos."
Después quede atento a sus sentimientos o recuerde algunos sentimientos pasados, especialmente del pasado reciente. Ansiedades, depresiones, culpas, sea lo que fuere. Luego de algún tiempo, vuelva la atención hacia aquel que observa esos sentimientos, o hacia el que recuerda esos sentimientos, y diga: "No soy ese sentimiento, no soy mis sentimientos."
Si está ansioso, no se identifique con su ansiedad. Si está deprimido, no se identifique con esa depresión. "Yo no soy esa depresión."
Éste es uno de los grandes ejercicios ofrecidos por Oriente. Los resultados no se notan inmediatamente. Pero provoca efectos infalibles. Y quiebra la más profunda de las corrientes, la de la ilusión y la de la tiranía del yo.
Quédese en silencio por algunos minutos y practique algunos de los ejercicios que sugerí y que lo atrajeron. Tome dos ejercicios de los que llamaría de largo plazo. Aquel de los tres mil años atrás y tres mil años después. El segundo ejercicio de largo plazo es el misterioso: "No soy

mi sentimiento, no soy mis pensamientos, etc." Y he recomendado otros ejercicios para luchar con la esclavitud, con las corrientes, para provocar una liberación inmediata.

Déjenme contar una historia sobre una persona libre. Es la historia de una muchacha, en una aldea de pescadores, que fue madre soltera.

Sus padres le pegaron hasta que confesó quién era el padre: "Es el maestro zen que vive en el templo fuera de la aldea." Sus padres y todos los aldeanos quedaron indignados. Corrieron al templo, después de que el bebé nació, y lo dejaron frente al maestro zen. Y le dijeron: "¡Hipócrita! ¡Ese niño es suyo! ¡Cuídelo!" Todo lo que el maestro zen dijo fue: "¡Muy bien! ¡Muy bien!" Y dio el bebé a una de las mujeres de la aldea, encargándose el maestro de los gastos.

Después de esto, el maestro perdió la reputación, sus discípulos lo abandonaron, nadie iba a consultarlo; y esto duró algunos meses. Cuando la muchacha vio eso, no pudo aguantar más y finalmente reveló la verdad. El padre del niño no era el maestro, era un muchacho de la vecindad.

Cuando sus padres y toda la aldea supieron

esto, volvieron al templo y se postraron delante del maestro. Imploraron su perdón y pidieron que les devolviese el bebé. El maestro devolvió el bebé y todo lo que dijo fue: "¡Muy bien! ¡Muy bien!" Era una persona libre. Una persona capaz de sufrir, que alcanzó la perspectiva por sobre la cual les hablaba.
Mi deseo para mí y para ustedes es que, como resultado de nuestros esfuerzos, ¡Dios nos dé este don!

El amor

Dios es amor. Cuando ame, participará de la dignidad y de la gracia.

Ya les hablé sobre la paz, la alegría, el silencio, la vida y la libertad. Ahora quiero hablar sobre el amor. Se trata del tema más difícil, porque el amor es algo tan vasto, que es casi como Dios mismo, en su dimensión y misterio. De vez en cuando, parece que vislumbramos el amor, lo entendemos vagamente. Pero no creo que nadie entienda realmente esa cosa misteriosa. Voy a discurrir sobre dos aspectos del amor: el amor como creación y el amor como identificación.
Comienzo a hablar del amor como creación contándoles un cuento adorable sobre los indios americanos, uno de mis favoritos.

Hubo un indio guerrero que encontró un huevo de águila en el tope de una montaña y puso ese huevo de águila junto con los huevos que iban a ser empollados por una gallina. Cuando el tiempo llegó, los pollitos salieron del cascarón, y la pequeña águila también. Después de un tiempo, ella aprendió a cacarear como las gallinas, a escarbar la tierra, a buscar lombrices, limitándose a subir a las ramas más bajas de los árboles, exactamente como todas las otras gallinas. Y su vida transcurría en la conciencia de que era una gallina. Un día, ya vieja, el águila terminó mirando al cielo y tuvo una visión mag-

nífica. Allá en el azul claro, un pájaro majestuoso volaba en el cielo abierto, como si no necesitase hacer el más mínimo esfuerzo. El águila vieja quedó impresionada. Se volvió hacia la gallina más próxima y dijo: "¿Qué pájaro es aquél?"
La gallina miró hacia arriba y respondió: "¡Ah! Es el águila dorada, reina de los cielos. Pero no pienses en ella. Tú y yo somos de aquí abajo." Y el águila no miró nunca más hacia arriba y murió en la conciencia de que era una gallina. De esa manera, como todo el mundo la trataba, de esa manera creció, vivió, murió.

¿Sabe lo que significa el amor como creación?
Mirar el águila y tener conciencia de quién es realmente, para que ella pueda abrir las alas y volar como el águila dorada. Es crear, en ella, al águila.
Un famoso psicólogo norteamericano coordinó una experiencia notable. ¿Sabe lo que hizo? Aplicó a todos los niños de la secundaria un test de CI un poco antes del final del año lectivo. Los psicólogos escogieron diez o doce nombres de alumnos y dijeron a cada uno de los profesores: "Esos diez niños estarán en su clase. Sabemos, por los *tests*, que son los que llamamos, técnicamente, superdotados. Ustedes verán que ellos estarán en el primer lugar del curso al final del año lectivo.

Tienen que prometer no decir nada de esto al grupo, porque eso podría hacerles mal." Y los profesores prometieron no decir nada. El hecho es que no había ningún superdotado en aquella selección y que el experimento no fue más allá de escoger diez o doce nombres al azar y enviarlos a los profesores. Después de un año, los psicólogos volvieron a la escuela. Hicieron *tests* a todos los niños y, ¿saben lo que sucedió? Todos los *superdotados* aumentaron su CI en un mínimo de doce puntos. Algunos aumentaron treinta y seis puntos. Los psicólogos se entrevistaron con los profesores y preguntaron: "¿Qué encontraron en esos niños?" Rápidamente, los profesores usaron adjetivos como "inteligentes, dinámicos, vivos, interesados", etc. ¿Qué podría haber pasado con esos niños si sus profesores no hubiesen pensado que tenían superdotados en el salón? Fueron los profesores los que desarrollaron en los estudiantes todas las potencialidades.

Los psicólogos repitieron la experiencia en otras escuelas y hasta con animales. Siempre con éxito. Dijeron a estudiantes de psicología que hiciesen experiencias con ratones: "Vamos a conseguir una nueva raza de ratones que actuarán mejor." Y los ratones actuaron mejor, aunque fuesen de la misma raza que los otros. Y llegaron a la conclusión de que se debía a que los estudiantes los trataban con más dedicación. Esperaban más de los ratones, y los ratones correspondían

a sus expectativas, que eran, de algún modo, comunicadas a los animales.
Desde la primera vez que oí hablar de esa experiencia, me acordé de un gran norteamericano: el padre Flannagan, fundador de la Ciudad de los Niños. El hombre se volvió una leyenda que llegó hasta la India. Al comienzo fundó ese lugar para ayudar a los menores abandonados. Después, para ayudar a delincuentes. Cuando la policía no sabía ya qué hacer, el padre Flannagan los llevaba a la casa. La historia dice que él no hablaba nunca con los muchachos. Me acuerdo de una historia al respecto, que me impresionó vivamente.
Un niño de ocho años mató al padre y a la madre. ¿Usted puede imaginar lo que puede haber pasado con ese muchacho, para que se haya vuelto tan violento con tan pocos años? Fue varias veces preso por organizar robos a bancos. La policía no sabía qué hacer con él: era menor, no podían procesarlo ni encarcelarlo, no podían mandarlo a un reformatorio, porque tenía que tener un mínimo de doce años para eso. Llamaron al padre Flannagan y le dijeron: "¿Acepta a este niño?"
El padre respondió: "¡Claro, mándenmelo!"
Muchos años después, el niño escribió su historia: "Me acuerdo del día en que viajaba hacia la Ciudad de los Niños en aquel tren, con un policía, pensando: Me están mandando con un cura. Si ese hombre dice que me ama, lo mato."
¡Y el niño era un asesino! ¿Qué sucedió? Fue a la Ciudad

de los Niños, y así continúa la historia: golpeó a la puerta de Flannagan y éste dijo: "¡Entre!"
El niño entró, y Flannagan dijo: "¿Cómo te llamas?"
Y el niño: "Dave, señor."
Y Flannagan: "¡Dave! Bienvenido a la Ciudad de los Niños. Te estábamos esperando. Ahora que estás aquí, debes querer dar una vuelta para conocer todo. ¿Sabes que aquí todo el mundo trabaja para vivir? Alguien te mostrará todo. Tal vez puedas escoger una ocupación, pero ahora descansa, da una ojeada al lugar. Ahora puedes irte. Después te veo."
Y el muchacho dijo que aquellos pocos segundos cambiaron su vida. ¿Sabe por qué? "Por primera vez en mi vida, miré a los ojos de un hombre que, sin usar palabras, no decía que me amaba, sino: Usted es bueno, usted no es malo, ¡usted es bueno!" El niño se volvió bueno.
Como nos dicen los psicólogos, tenemos tendencia a ser lo que sentimos que somos. ¿Puede pensar en algo más espiritual y más divino que eso? Que veamos la bondad en alguien, que le comuniquemos eso a la persona, y que como resultado ella se transforme. La persona será recreada. *El amante crea el amor*. Él ve la belleza allí y, porque la ve, la extrae.
Frecuentemente, las personas preguntaban al padre Flannagan cuál era la razón de su éxito. Y el padre Flannagan no respondía a la pregunta, porque el principio que seguía era: "No existe muchacho malo." Flannagan vio la bondad, hacía brotar esa bondad de cada muchacho

que protegía. Él *creaba* la bondad.

Es esto lo que quiero comunicarle como amor. Un aspecto del amor. ¿Le gustaría tener un poco de la sensibilidad del padre Flannagan? Tengo la certeza de que a todos nos gustaría ser como él, porque todos queremos amar.
Si usted quiere desarrollar ese tipo de percepción, tiene que entrar en una escuela de amor. Tiene que hacer ejercicios, no muy difíciles, pero tampoco muy fáciles.
¿Cuáles son? Comience por lo siguiente: piense en alguien que ama profundamente. Imagine que esa persona está sentada frente a usted, hable con ella con amor. Dígale lo que significa para usted el que haya entrado en su vida.
Y luego de hacer esto, tome conciencia de lo que siente.
Cuando se entusiasme, en el ardor de este ejercicio, cambie al siguiente:
Piense en alguien que no le gusta. Usted está de pie frente a esa persona. Cuando la mire, intente encontrar algo bueno en ella. Haga un esfuerzo para ver la bondad. Si le resulta difícil hacer eso, puede imaginar que Jesús está de pie a su lado y que mira a la persona. Él será el profesor en el arte de mirar, en el arte de amar. ¿Qué se ve? ¿Qué bondad, qué belleza puede detectar

en la persona? Si Jesús volviese a la Tierra, ¿cuál piensa que sería la primera cosa que notaría en la humanidad? La inmensa bondad, la confianza, la sinceridad del puro amor. En la humanidad hay océanos de bondad entre los seres. Él lo notaría inmediatamente, porque la persona buena ve la bondad en todo lugar. La persona mala nota el mal, porque tiende a verse en los otros, ¿no? Un reflejo de sí misma. Imagine a Jesús mirándolo. ¿Qué verá? Pasemos al tercer ejercicio, probablemente el más difícil. Pero si usted quiere realmente amar, tiene que pasar por él. Imagine a Jesús exactamente ahí, frente a usted. Él habla con usted sobre toda la bondad, la belleza y todas las cualidades que ve en usted. Si usted fuese como la mayoría de las personas, va a comenzar a acusarse, probablemente, de toda clase de defectos y de pecados, y Jesús va aceptar eso. Porque para Jesús ninguna historia es una novela. Cuando Él vio el mal, lo llamó por su nombre y lo condenó. Pero no condenaría nunca al pecador, sólo condenaría el pecado. Piense en cómo miraba a una prostituta en las páginas del Evangelio. Y cómo miraba a un ladrón, a un publicano endurecido, hasta a los fariseos y a las personas que lo estaban crucificando. ¡Ahí está, de pie, frente a usted! Y usted acusándose de todos sus pecados,

y Él aceptando, admitiendo que usted tiene todos esos defectos. Pero Él comprende, hace concesiones. Esos defectos no interfieren la bondad y la belleza que Él ve en usted. Eso no es difícil de comprender. Piense en usted mismo. Piense en alguien que ama. Si usted mira realmente a esa persona, verá que tiene defectos. Y aun así, esos defectos no impiden su amor por ella, ni impiden ver la bondad de ella. Imagine a Jesús haciendo eso. Y vea qué efectos trae esto para usted. Acepte el amor de Jesús y de aquellos que lo aman.
Cuando Jesús se encontró con Simón Pedro por primera vez, el Evangelio nos cuenta que el Maestro vio en este hombre lo que nadie podía sospechar que hubiese allí, y lo llamó roca, piedra. Y en eso se transformó Pedro. Imagine, entonces, que Jesús está ante usted. ¿Qué nombre le daría a usted?

Antes de pasar a otro aspecto del amor, quiero contar un cuento de hadas occidental. ¿Sabía que los cuentos de hadas contienen gran sabiduría? Es la historia del sapo y la princesa.

Un día, la bella princesa fue a caminar por el bosque y encontró un sapo. El sapo la saludó muy delicadamente. La princesa se asustó de un sapo que hablaba la lengua de los hombres.

Pero el sapo le dijo: "Su Alteza Real, no soy un sapo de verdad. Soy un príncipe, pero una bruja me transformó en sapo."

La princesa, que era de corazón bondadoso, respondió: "¿Hay alguna cosa que se pueda hacer para quebrar ese hechizo?"

El sapo respondió: "Sí, la bruja dice que si encontrase a una princesa que yo amara, y ella se quedase conmigo tres días y tres noches, el hechizo se rompería y yo volvería a ser un príncipe."

La princesa podía ya ver al príncipe en aquel sapo. Llevó el sapo consigo al palacio.

Todo el mundo decía: "¿Qué criatura repugnante es la que traes?"

Y ella respondía: "No, no es una criatura repugnante, ¡es un príncipe!"

Y mantuvo el sapo consigo noche y día, en la mesa, en un almohadón mientras dormía. Después de tres días y de tres noches, ella vio al joven y bello príncipe, que le besó la mano con gratitud por haber quebrado el hechizo y haberlo transformado en el príncipe que era.

Ese cuento de hadas es la historia de todos nosotros. ¡De algún modo, fuimos transformados en sapos y pasamos la vida buscando a alguien que quiebre el hechizo y nos recree! ¿Se encuentran muchas personas como el P. Flannagan?

Dios es desconocido. Pero cuando hacemos una imagen de Él, ¿es Él por lo menos tan bueno como el mejor de todos nosotros? Quizás Dios dice así: "¡Ángeles! ¡Trompetas! ¡Ahí ven al príncipe! ¡Ahí ven a la princesa!" ¿Es así como nos trata? ¿Aun viendo todos los defectos? Se debe reflexionar sobre esto, porque tendemos a transformarnos en el Dios que adoramos.
Pensemos ahora en el amor como identificación.
En la India, los místicos y los poetas se preguntaron muchas veces quién es la Persona Santa. Y llegaron las lindas respuestas:
***La Persona Santa es como una rosa.* ¿Se ha oído decir a alguna rosa: "Daré mi fragancia solamente a las personas buenas que me huelan, y voy a negar mi perfume a las personas malas"? ¡No, no! Expandir perfumes es parte de la naturaleza de la rosa.**
***La Persona Santa es como una lámpara encendida en un cuarto oscuro.* ¿Puede una lámpara decir que va a iluminar solamente a las personas buenas y esconder su luminosidad de las personas malas?**
***La Persona Santa es como un árbol que da sombra tanto a las personas buenas como a las personas malas.* El árbol da su sombra hasta a la persona**

que lo está cortando. Y si fuese aromático, dejaría su perfume en el hacha.
¿No es exactamente eso lo que Jesús dice cuando nos manda ser misericordiosos como nuestro Padre celestial, que hace llover sobre buenos y malos? ¿Que hace brillar el sol sobre justos y pecadores? ¿Cómo podemos llegar algún día a ese tipo de amor?
Por la comprensión, por una comprensión o experiencia mística. ¿Qué significa eso? ¿Usted ya tuvo la experiencia de que somos millones de personas en un solo Cristo? Pablo afirma que todos somos un solo cuerpo, miembros unos de otros. Ésa es la imagen del cuerpo. Así como mi cuerpo y yo. Nosotros no somos dos, pero tampoco somos la misma cosa. ¡Yo no soy mi cuerpo, pero no somos dos! ¡Y cómo amo a mi cuerpo! Cuando un miembro de mi cuerpo o un órgano está enfermo o sano, yo lo amo de la misma forma.
Entonces, aquí está esa comprensión que es dada a algunas personas bienaventuradas. Ellas son diferentes de las otras, pero no están separadas, son un solo cuerpo.

Hay un cuento hindú sobre siete locos que se dirigen a una aldea para ir a una especie de gran banquete, y vuelven a casa, tarde en la noche, ebrios y más locos que antes. Empieza a llover y se protegen bajo un árbol. Al despertar, a la mañana siguiente, comienzan a lamentarse en voz alta. Un caminante se

detiene y dice: "¿Qué sucede?"
"Dormimos debajo de este árbol y nuestros miembros, manos y piernas, se mezclaron. De manera que no sabemos a quién pertenecen las manos y las piernas." Y el caminante dijo: "Eso es fácil. ¡Denme una rama de espino."
Pincha una pierna, y el dueño grita: "¡Ay!" El caminante dijo: "¡Ésta es su pierna!" Continúa pinchando manos y piernas diferentes y separando a los locos.

Cuando alguien se lastima, es maltratado, yo digo "¡Ay!" Algo sucedió. Amor como identificación. ¿Podemos hacer algo para conseguir esa gracia? No, es un don. Todo lo que podemos hacer es prepararnos.

Usted no puede creer, pero yo digo que si usted sintiese o mirase, o se sentase y tomase contacto con usted mismo, llegaría al silencio, y las cosas le serían reveladas. Todo lo que podemos hacer es preparar el suelo. Y si usted practicara ese ejercicio que estoy recomendando, se estaría preparando para esa gracia. Algún día, con toda esperanza, ella le será dada. La aplicación de los ejercicios de este libro traerá buenos resultados para todos, pero el amor como identificación, sólo Dios podrá darlo.

Dios es el Desconocido, Dios es Misterio, Dios es Amor. Por eso, toda vez que usted esté amando, estará participando de la divinidad y de la gracia. En un mundo de conciencia viciada y sospechosa, ¿puede usted pensar en un camino mejor hacia Dios?

La oración

La oración es fuego.
Fuego quiere decir transformación.

¡Me gustaría hablarles sobre tantas cosas! Pero hay un tema sobre el que las personas siempre me interrogan. Al descubrir que soy un sacerdote católico, me piden: "¿Podría ayudarnos a rezar mejor?"
Y pasan a interrogarme: "¿Cómo podríamos rezar mejor?"
Pienso que es necesario rever la noción de oración que transmitimos y vivimos, comenzando por todo aquello que la oración no es. Hay una historia que ilustra bien esto:

Un muchacho va al encuentro de un gran maestro sofista. Y le dice al maestro: "Maestro, mi confianza en Dios es tan grande que ni siquiera até mi camello allá afuera. Lo dejé a la providencia de Dios, al cuidado de Él."
Y el maestro sofista dijo: "¡Vuelva y ate su camello al poste, loco! No es necesario molestar a Dios con algo que usted mismo puede hacer."

Bien claro, ¿no? Es importante tener esa actitud en la mente al hablar de la oración. Dios no puede ser importunado con cosas que usted mismo puede hacer.

Me acuerdo de un rabino que sirvió fielmente a Dios durante toda su vida. Un día, le dijo a Dios: "Señor, he sido un devoto adorador y obediente de la Ley. He sido un buen judío, pero ahora estoy viejo y necesito ayuda: ¡Señor, déjame ganar la lotería para tener una vejez tranquila!" Y rezó, rezó, rezó... Pasó un mes, y dos, cinco, un año entero, tres años se fueron. Un día el hombre, desesperado, dijo: "¡Dios, resuélvete!" Y Dios: "¡Resuélvelo tú! ¿Por qué no compras el billete?"

Eso da una idea de lo que no es la oración.
Pero, ¿qué es la oración? Quiero contar otra historia:

Un hombre inventó el fuego. Apenas lo inventó, fue hacia el Norte, donde hay tribus temblando de frío en las montañas, y comenzó a enseñarles el arte. Les mostró el valor de calentarse en invierno, de cocinar la comida, de utilizar el fuego en la construcción. Y ellos aprendieron con entusiasmo. Apenas aprendieron, el inventor del arte fue a otro lugar sin darles tiempo de agradecer, porque era un gran hombre.
A los grandes hombres no les importa cómo son recordados o que les agradezcamos. Él desapareció y fue hacia otra tribu. Y allí comenzó a enseñar a hacer fuego. Esa tribu también se entusiasmó, y él fue siendo cada vez más famoso.

Entonces los sacerdotes, temiendo que su propia popularidad disminuyese, resolvieron librarse de él y lo envenenaron. Pero para apartar las sospechas del pueblo, los sacerdotes hicieron lo siguiente: tomaron un retrato del hombre, lo pusieron en el altar superior del templo y dijeron al pueblo que venerase al gran inventor del fuego. Desarrollaron también un ritual y toda una liturgia para la veneración de las herramientas y del inventor del arte de hacer fuego. La veneración y la adoración se fueron perpetuando por décadas y décadas, siglos y siglos, pero no había fuego. ¿Dónde está la oración? ¡En el fuego! ¿Dónde está el fuego? ¡En la oración! ¡Allí está!

Lo que usted hizo para hallar el fuego es la oración. Usted ora semanas, meses y años, y nada de fuego. Nada de oración, nada de oración. Mucha buena voluntad, pero nada de oración.

"¿Por qué me llaman ¡Señor, Señor!, y no hacen lo que digo? Ustedes vendrán y dirán: Señor, hicimos milagros en tu nombre, y yo diré: ¡No los conozco, no me interesa!" En la gracia, Él estaba menos interesado en el "Señor, Señor", que nosotros. Él estaba más interesado en "por qué no hacen lo que digo".

Pero es necesario tener cuidado con esto. No piense que las buenas tareas sean necesariamente oración. "Si yo diese mi cuerpo para ser quemado y todos mis bienes para alimentar a los pobres, y no tuviese amor, será todo en vano." Los hechos en sí no son lo que tiene realmente valor. Hay algunas obras que son realmente buenas y otras que son corruptas. El Maestro Eckhart, gran místico alemán, dice: *Ustedes deberían preocuparse menos de lo que tienen que hacer, y pensar más en lo que tienen que ser. Porque si el ser de ustedes fuese bueno, su trabajo será precioso.* ¡Es el ser lo que necesita transformarse, ahí está el fuego! ¿Cómo transformará su ser? ¿Qué hará? ¡Nada! Para que su ser se transforme, usted necesita ver. Ver algo que lo transforme. Nadie cambia trabajando en sí mismo. Usted sabe arreglar muchas cosas, y eso es un don.
Pero al intentar arreglar personas, probablemente tendrá problemas. Usted no debe hacer nada; tiene que ver las cosas de una manera nueva. El cambio viene a través del ver. La *metanoia*, el arrepentimiento, ¡pues ha llegado el Reino de Dios! Arrepentimiento no quiere decir llorar por los pecados, arrepentimiento significa mirar todo de una manera nueva. Cambio de ideas, transformación del corazón. Como aquel hombre que dice a su mujer: "¡Cambié de cabeza!" Y ella: "¡Gracias a Dios, espero que la nueva funcione mejor!" ¡Es eso! Literalmente, otra *cabeza*, otra manera de mirar las cosas.

Nueva manera de verlo todo. Ésa es la transformación de la cual estamos hablando.
Cuando eso pase, usted cambiará, sus obras cambiarán y su vida también. ¡Eso es el fuego! ¿Qué necesita para ver las cosas de una manera nueva? No es necesaria la fuerza, no es necesario ser útil, no es necesaria la autoconfianza, ni la fuerza de voluntad, ni el esfuerzo. Es necesaria la buena voluntad para pensar en lo que no es habitual, buena voluntad para ver algo nuevo. Y esto es la última cosa que quiere el ser humano. Los hombres no quieren ver nada diferente de lo que siempre han visto.
Por eso Jesús tuvo tantas dificultades cuando vino con su Buena Nueva. No les gusta la parte buena de la Buena Nueva. No les gusta la parte nueva de la Buena Nueva.

¿Usted está listo para ver las cosas de otra manera? Preste atención: no acepte todo lo que yo digo sólo porque lo estoy diciendo, eso no le traerá ningún beneficio. No se "trague" nada de mí. Me gustan mucho las palabras de Buda: Monjes y discípulos no deben aceptar mis palabras por respeto.
Es necesario hacer como los orfebres con el oro: pulir, raspar, cortar, mezclar. Ésa es la manera de actuar. Es preciso mantenerse abiertos, receptivos y siempre listos para cuestionar, para pensar por sí mismos. Lo contrario es caer en la inmovilidad, en la pereza mental. Nosotros no queremos eso.

¿Usted está sufriendo? ¿Tiene problemas? ¿Detesta todos los minutos de su vida? ¿Le gustan sus últimas tres horas, cada segundo de las últimas tres horas? Si la respuesta es no, si la respuesta es que está sufriendo, perturbado, usted tiene realmente problemas. Hay algo erróneo en usted. Seriamente erróneo. ¡Está dormido, está muerto!
Apuesto que nunca oyó hablar de esto. ¡Generalmente se dice que es natural tener problemas, que sufrir es humano! En ese caso, ¡es mejor que yo explique un poco qué es el sufrimiento! Usted puede estar dolorido y sufrir o puede estar dolorido y no sufrir.

Cierto maestro fue interpelado por el discípulo: "¿Qué le trajo la iluminación?"
Y respondió: "Antes de la iluminación, yo acostumbraba estar deprimido; después de la iluminación, ¡continúo deprimido!"
Pero hay una gran diferencia. Sufrir significa dejarse perturbar por la depresión. Eso es sufrimiento.
Es bueno dejar claro esto ahora. Sufrir significa dejarse perturbar por el dolor, por la depresión, por la ansiedad.
En el aprendizaje de la oración, las depresiones continuarán viniendo, las ansiedades también.
Y ellas pueden significar nubes pasando por el cielo, y usted identificándose con las nubes. Pero usted puede

ser el cielo, desapegarse de ellas. Y ellas continúan yendo y viniendo. *Antes de la iluminación, yo acostumbraba estar deprimido; después de la iluminación, continúo deprimido.*

¿De dónde le parece que viene el sufrimiento? Algunos dicen que viene de la vida. ¡La vida es dura, la vida es difícil! Los chinos tienen un proverbio maravilloso: *En todo el universo no hay nada tan cruel como la naturaleza. No hay cómo escapar de ella. Pero no es la naturaleza la que causa las catásfrofes. Es del corazón del hombre de donde viene el sufrimiento.*

No es la vida lo difícil, es usted el que la vuelve difícil. Alguien me contó, en Nueva York, que una tribu africana no conocía ninguna forma de extirpar de su medio a los condenados. ¿Sabe lo que hacían? Los condenaban, los maldecían, los apartaban y, en una semana, el hombre o la mujer morían. Simplemente, morían. Usted dirá: "¡Ellos los mataban! La sentencia de exilio los mataba!" ¡No, no! ¿Sabe por qué? Si usted y yo fuésemos condenados, sufriríamos un poco, pero no moriríamos. Pero entonces, ¿ellos se mataban? La manera en que vivían en el exilio es la que los mataba. Usted habrá oído hablar de estudiantes que se toman los exámenes tan en serio que, si no aprueban, se suicidan. Si usted y yo fuésemos reprobados, no nos suicidaríamos. ¿Qué piensa que fue lo que mató al muchacho? ¿Qué le parece que mató a la muchacha? ¿La reprobación?

No. La manera de reaccionar frente a la reprobación. Cuando usted planea un paseo y llueve, ¿qué es lo que causa un sentimiento negativo en usted? ¿La lluvia? ¿O su reacción? La conciencia de esto choca a las personas que han rezado por décadas, pero nunca se dieron cuenta del hecho. Ése es uno de los riesgos de la oración: ella puede impedir que usted llegue al fuego.

Ahora piense en algo que lo está perturbando estos días. O en alguna cosa que lo tenga preocupado, del pasado reciente. Piense e intente comprender que la perturbación no viene de afuera, del acontecimiento, de las cosas, del hecho de que alguien haya muerto, de que usted haya cometido un error, de que usted haya sido afectado por un accidente, perdido el empleo o el dinero. Nada de eso viene de ahí. Viene de la manera en que usted reacciona ante el acontecimiento, la persona, la cosa que lo perturba. Si otra persona estuviese en su lugar, probablemente no se perturbase mucho. Usted sí, ¿por qué? ¡Tenemos que hacer algo por usted! No con la realidad en sí. En cuanto a esto, la mayoría de las personas daría la cabeza por cambiar la realidad.

Cierta vez, en Saint-Louis, un sacerdote vino a mí y me dijo que tenía un amigo con sida. Y dijo que estaba sucediendo algo extraño con su amigo, que decía: "Comencé a vivir

cuando el médico dijo que tenía sida y que la muerte era segura."
¿Puede creerlo? Me dijo el sacerdote: "Conocí más o menos treinta personas en la misma situación, y entre doce y quince me dijeron algo similar."
¿Cómo es que las personas reaccionan de forma tan diferente al mismo estímulo? Eso tiene que ver con su programación.

¿Alguien no cumplió con lo que le prometió, alguien lo rechazó, alguien lo abandonó? No. Nadie lo hirió en toda su vida. No lo perturbó jamás ningún acontecimiento. Usted mismo lo hizo. En realidad, no fue hecho ni por usted, ya que nadie lo hirió deliberadamente. Sus condicionamientos, su programación provocaron todo; la manera como ve las cosas y la vida. ¡Eso es lo que tiene que ser cambiado: su "cabeza"!
Pasemos a otra prueba. Piense en algún problema con alguien, ¡con cualquier persona! A usted le puede parecer que ella no merece confianza, que es irritante, prejuiciosa, temperamental, digna de rechazo.
Si usted tiene dificultades con las personas, prepárese para un choque: hay algo erróneo en usted. No hay dificultades para tratar a los seres humanos. Si usted cambia, todo cambiará. Si usted se pudiese desprender, las personas cambiarían.

¡No está viendo a las personas como son, sino como es usted! Si alguien me produce perturbación, indisposición, hay algo erróneo en mí. ¡Tengo que cambiar! ¿Cómo puedo dar a alguien el poder de perturbarme? ¿Cómo voy a dar a alguien el poder de decidir si voy a estar alegre o triste? Si atribuyo ese poder a alguien, no puedo protegerme de las consecuencias de lo que estoy haciendo. **En la naturaleza no hay recompensas ni castigos, sólo consecuencias.** ***Tan sólo es necesario crecer y enfrentarlas.***

Es necesario además tener el coraje de no dejarse manipular. Las personas tienen miedo de decir no, tienen miedo de mandar a alguien que cuide de la propia vida. "¡Vive tu vida. Déjame vivir la mía!"
De ese modo, no se pueden evitar las consecuencias de dejarse manipular.
Nuestra felicidad nunca es causada por una cosa.
La verdadera felicidad no tiene causa. ¿Qué le parece? Si alguna persona le está causando felicidad, o si su empleo le causa felicidad, no se trata de la propia felicidad. Se trata de la realización de un deseo: quiero alguna cosa, la sigo, la consigo, me excito, voy hasta el fin, me siento gratificado, siento placer... y me canso de eso después de un tiempo. Si no lo consigo, estoy ansioso. ¡Eso no es felicidad! Es emoción. Satisfacción del deseo. Algunas veces, pienso que casi todo el mundo

fue programado para ser infeliz. Las personas no pueden no ser infelices. Y van de arriba abajo por la vida, como un péndulo, sufriendo. Repito: la felicidad no tiene causa. Cuando nada pueda herirlo, ninguna persona, ningún acontecimiento, nada, entonces será feliz.
¿Qué hacer para ser feliz? ¡Nada! No se hace nada.
Es necesario desprenderse de las cosas. De la ilusión. De las ideas erróneas. ¿Cómo desprenderse? Viendo que son erróneas.

¿Se acuerda de la tribu africana de la que hablaba? ¿Por qué morían los exilados? ¿Por haber sido condenados? Porque sumaron algo a la realidad, algo de su programa.
Su infelicidad fue causada por algo que usted sumó. Esa adición es causa de infelicidad.
¿Cómo se cura? ¡Despréndase de su dolencia y quédese solo! La salud no es una cosa, es la ausencia de enfermedad.
Cuando el ojo está limpio, el resultado es ver; cuando el oído está limpio, el resultado es oír; cuando el paladar está limpio, el resultado es el gusto. Cuando la mente no está obstruida el resultado es la sabiduría y la felicidad.
Si usted pudiese desprenderse de la ilusión, sería feliz.

¡He visto personas con pésima salud, con cáncer, sufriendo

dolores intensos, pero felices! No están sufriendo, porque sufrir significa estar luchando. Sufrir significa decir: "¿Cuánto tiempo más durará esto?" ¿Sabe otro secreto? El momento presente nunca es intolerable. Lo que es intolerable es lo que va a suceder en las próximas cuatro horas. Tener su cuerpo aquí a las ocho de la noche y su mente a las diez y treinta, esto es lo que causa problemas. Tener su cuerpo acá y su mente a 10.000 km, esto es lo que causa el sufrimiento.

> ***Entonces, vaya a atar su camello, loco.***
> ***Dios no puede ser incomodado con "cositas" que usted mismo puede hacer.***

¡La oración es fuego! Fuego quiere decir transformación que viene por la visión de las ilusiones de la persona y el desapego de ellas.
Usted está sentado en un teatro oyendo un concierto. De repente se acuerda de que olvidó cerrar el coche. Se pone ansioso. No puede levantarse y cerrar el coche, no puede concentrarse en la sinfonía, está acorralado entre dos cosas. ¡Qué imagen tan fascinante de la vida!

Déjenme complementar esa imagen con un cuento japonés sobre un muchacho que estaba huyendo de un tigre. Llegó a un precipicio, comenzó a caer, pero consiguió tomarse de una rama de árbol que crecía en la ladera del precipicio. Miró hacia la cima y vio al tigre mirándolo, y no había manera de subir. Miró hacia abajo y vio un barranco de más o menos dos mil metros y, a su lado, un arbusto con frutas. Las frutas estaban maduras. ¡Entonces tomó una de ellas, la llevó a la boca y sintió el gusto dulce! Entonces aprendió a vivir la vida a cada momento, la única manera de vivir. Pero esto suena como un imposible *"¡Hágase!"*

¿Saben cómo fueron descubiertas las minas sudafricanas? Había un viajante sentado a la puerta de la choza del jefe de la aldea. Vio a los hijos del jefe jugar con cosas que parecían bolitas de vidrio. Tomó una de ellas, la miró y su corazón estalló de alegría. ¡Era un diamante! Y fue a decirle al jefe de la aldea: "Mis hijos también juegan con esas piedras, ellos las llaman bolitas de vidrio. ¿Podría llevarme algunas para casa? Estoy dispuesto a darle tabaco en canje."

El jefe respondió: "Tenemos millones de ellas aquí, sería un robo aceptar su tabaco, pero acepto cualquier cosa que me dé."

El hombre le dio el tabaco, fue a casa, vendió los diamantes, volvió, compró todas aquellas tierras y se volvió el hombre más rico del mundo. El punto central de esta historia es:

aquellas personas pisaban un tesoro y no lo sabían. Ésta es otra imagen de la vida. La vida es un banquete del cual la mayoría de las personas se está privando. Nunca descubren el tesoro.

Si la oración fue adecuadamente practicada y entendida, dará la riqueza que hace que las cosas no tengan importancia. *La vida es una cosa que ocurre cuando estamos ocupados en otra cosa.* Estamos ocupados en intentar impresionar a todos. Estamos ocupados en ganar las olimpíadas. Estamos ocupados en tener éxito. Y la vida pasa por nosotros.
Hay una cosa dentro de nosotros que es preciosa. Una perla preciosa. Un tesoro. El Reino de Dios está dentro de nosotros. ¡Si al menos descubriésemos eso!
La gran tragedia de la vida no está en cuánto sufrimos, sino en cuánto perdemos. Los seres humanos nacen durmiendo, viven durmiendo y mueren durmiendo.
Tal vez no nazcan durmiendo, nazcan despiertos, pero cuando desarrollan el cerebro, caen en el sueño... Tienen hijos en sueños, suben al gobierno durmiendo, mueren durmiendo. Nunca se despiertan. De esto trata la espiritualidad: despertar.

Usted está viviendo en una torpeza ebria.
¡Es como si estuviese hipnotizado, drogado!
Y no sabe lo que está perdiendo.

¿Cómo salir de eso?
¿Cómo despertar? ¿Cómo va a saber
que está durmiendo?

Los místicos, cuando ven lo que hay alrededor, descubren una alegría extra fluyendo del corazón de las cosas. Una sola voz les habla de esa alegría y ese amor que fluye en todo lugar. Y aunque tengan dolor, o lo que llamamos sufrimiento, hay una alegría tremenda que nada puede modificar o quitarles. ¿Cómo conseguir eso?
Por la comprensión. Por la liberación de las ilusiones y de las ideas erróneas. Tenemos que desprendernos de ellas, porque es inútil quedarse diciendo a Dios: "¡Dame! ¡Dame!"

¡Vaya a atar su camello! ¡Dios no puede ser importunado con cosas que usted puede hacer.

A un hombre cuya barba se le estaba quemando, le dijeron: "¡Su barba está en llamas!"
Y él: "¿No ven que estoy rezando para que llueva? ¡Estoy haciendo algo!"
"Señor, que yo pueda ver", dicen y se quedan con los ojos cerrados. Comprensión, atención, disposición para ver. Así es la oración. Al hablar de oración no me refiero a "Señor, Señor", sino a "Hagan lo que digo".
Ésa es la oración de la que estoy hablando, ¿entiende? Hay dos tipos de oración. Hay el "Señor, Señor"

y algo mucho mejor: "Hagan lo que digo." Hay personas que hacen lo que Él dice, sin decir munca "Señor, Señor" y hasta sin haber nunca oído hablar del Señor. Hay personas que están llenas de "Señor, Señor", que rezan día y noche, pero se arriesgan a oír: "No los conozco." "Hagan lo que digo." Esto es amor a Dios. Ser transformado en el amor, eso es amor a Dios. Entonces usted sabrá quién es Dios. Entonces usted sabrá lo que es la realidad.

Liberación

Usted tiene que ser amor total.

Piense en un niño pequeño al que se le da a probar una droga. Cuando crece, todo su cuerpo está loco por la droga. Vivir sin ella es un dolor tan grande que es preferible morir. Usted y yo, como ese niño, tuvimos esa droga que se llama *aprobación*, *aprecio*, *éxito*, *aceptación*, *popularidad*. Una vez que usted tomó la droga, la sociedad puede controlarlo, usted se volvió un robot.
¿Quiere saber cómo se robotizan los humanos?
Escuche esto: "¡Qué lindo estás!"
Y el robot se hincha de orgullo. Oprimo el botón del aprecio y él queda allá arriba. Entonces oprimo otro botón, el de la crítica, y se viene al suelo. Control total. ¡Estamos tan afectados por eso! Somos tan fácilmente controlables. Y cuando nos falta eso, quedamos aterrados, temerosos de cometer errores, de que las personas se rían de nosotros.
Vi a una niña de tres años entrando a un comedor, toda compuesta. Aplaudimos, pero ella pensó que nos estábamos riendo de ella y huyó a toda prisa. La madre tuvo que ir a buscarla, pero ella se resistía a venir. Pensaba que nos habíamos reído de ella. Pensé: Sólo tiene tres años y ya hemos hecho de ella un monito. Alguien le enseñó esto: Cuando usted haga tal cosa, espere aplausos, y se debe sentir bien. Y cuando hagamos "¡buuuu!", se debe sentir mal. Una vez tomada esa droga, no hay remedio.

¿Piensa que Jesucristo fue controlado por lo que las personas pensaban y decían de Él? Las personas despiertas no necesitan esta droga.
Cuando usted comete un error o es rechazado, siente un tremendo vacío. Es tal la soledad, que usted se arrastra, implorando aquella droga llamada coraje, aceptación, y continúa siendo controlado. ¿Cómo salir de esto?
Como resultado de haber tomado esa droga, usted perdió su capacidad de amar. ¿Sabe por qué? Porque no puede ver más a ningún ser humano. Usted sólo toma conciencia de que ellos aceptan o no, aprueban o no. Los ve como amenaza o como apoyo para ella.
Piense en los políticos. Los políticos, frecuentemente, no ven a las personas en sí. Ellos ven los votos, y si usted no es un apoyo ni una amenaza para que ellos tengan votos, ni siquiera lo percibirán.
Los hombres de negocios ven sólo el dinero, no ven a las personas, sólo los asuntos de negocios.
Nosotros no somos diferentes, cuando estamos bajo el efecto de esa droga. ¿Cómo puede amar lo que ni siquiera ve? ¿Quiere liberarse de la droga?
Tiene que arrancar esos tentáculos de su sistema.
Ellos han llegado a sus huesos. Ése es el control que la sociedad ejerce sobre usted. Si fuera capaz de hacer eso, todo sería igual, pero usted se habrá desprendido.
Estará en el mundo, pero no será más del mundo.
Eso es aterrador. Es como pedir a un drogadicto:

"¿Por qué no saborea una comida buena y nutritiva, agua fresca del río de la montaña y el aire agradable de la mañana? ¡Deje su droga por esto!"
Él ni siquiera concebirá esa idea, porque no puede vivir sin la droga.

¿Cómo salir de esto? Es necesario afrontar el temor. Usted tiene que entender por qué no puede vivir sin el beneplácito de las personas. ¿Quiere amar a las personas? Muera para ellas. Muera para su necesidad de las personas. Comprenda lo que la droga le está haciendo.
Sea paciente consigo mismo. Después llame a la droga por su nombre: es un estimulante artificial. ¿Quiere que realmente le guste vivir? Saboree los sentidos, la mente. Aprecie su trabajo, la naturaleza, vaya a la montaña y aprecie los árboles y las estrellas, la noche. Mantenga lejos a las multitudes. Y estará completamente solo. Entonces el amor nacerá en la soledad. Llegue al país del amor pasando por el país de la muerte. Y comprenderá que su corazón lo trajo a un vasto desierto. Al comienzo padecerá soledad.
Usted no está acostumbrado a que le gusten las personas sin depender de ellas.
Al fin del proceso, usted podrá verlas.
Entonces verá que el desierto, de repente, se transformará en amor. Y habrá música

en su corazón. Y será primavera para siempre.
Dése a sí mismo un alimento adecuado.
Llame a la droga por su nombre y sea paciente, del mismo modo que haría con un drogadicto.
Y qué poderosa será esta oración.
Piense en alguien cuya aprobación usted piensa que necesita. De quien quiere aprobación. Vea si consigue entender cómo, frente a esa persona, usted pierde la libertad. Piense en alguien de quien necesita para atenuar el dolor de su soledad. Piense cómo, delante de esa persona, usted pierde la libertad. ¡Usted no es libre! ¡No osa ser usted mismo!
Usted no tiene que impresionar a nadie, nunca más. Está completamente cómodo con todo el mundo, no desea nunca más nada de nadie. El no cumplimiento de sus deseos no lo hace infeliz.
Cuando usted no tiene que defenderse de nadie más, no siente la necesidad de disculparse, ni de explicarse. No tiene que impresionar a nadie. No se incomoda con lo que dicen, con lo que piensan. No se deja afectar. Entonces el amor comenzará. Mas sólo después de esto.
En tanto yo necesito de usted, no puedo amarlo. ¿Qué mérito tendría usted si saludase tan sólo a los que los saludan? ¿Y si amase tan sólo a los que lo aman? Usted tiene que ser amor total, como el Padre celestial es todo amor. Porque Él

***hace brillar el sol sobre buenos y malos,
sobre justos y pecadores, del mismo modo.***

Espiritualidad

Sólo hay una necesidad.
Esa necesidad es amar.

Espiritualidad es estar despierto. Desprenderse de las ilusiones. Espiritualidad es nunca estar a la merced de acontecimiento, cosa o persona alguna. Espiritualidad es haber hallado la mina de diamantes dentro de usted. La religión se destina a guiarlo hacia eso.
"¿De qué vale ganar el mundo y perder el alma?"
Piense en lo que siente cuando mira una puesta de sol, o está en contacto con la naturaleza. Y compare eso con el sentimiento que tiene cuando es apreciado, aplaudido, elogiado. Al primer tipo de sentimientos, lo llamo sentimientos del alma; al segundo, lo llamo sentimientos del mundo. Piense en el sentimiento que tiene cuando vence en una carrera o en una discusión, cuando llega al tope, cuando tiene éxito. ¡Sentimientos del mundo! En comparación con los sentimientos que tiene cuando está haciendo un trabajo que ama, inmerso en un pasatiempo, leyendo un libro, viendo una película. Sentimientos del alma. Piense en el tiempo en que tiene poder, cuando es el jefe, cuando todo el mundo está mirando, y usted está allá arriba. ¿Qué especie de sentimiento crea eso? ¡Sentimiento mundano! Compare ese sentimiento con la alegría de la intimidad, de la compañía de los amigos. Usted los aprecia sin estar preso de ellos, riendo y divirtiéndose. Sentimientos del alma.
Los sentimientos del mundo no son naturales, fueron inventados por su sociedad y la mía,

para controlarnos. Ellos no conducen a la felicidad, son la excitación, el vacío y la ansiedad. Piense en su propia vida. ¿Hay un solo día en que usted no esté, consciente o inconscientemente, vuelto hacia lo que los otros piensan, sienten o dicen con respecto a usted? Sus pasos están controlados; usted marcha al son de los tambores. Mire a su alrededor. Vea si encuentra a alguien que esté liberado de estos sentimientos. ¡Sentimientos del mundo! En todo lugar, encuentra personas en la corriente de los sentimientos del mundo, viviendo vacías. Ganarán el mundo, pero perderán el alma.

Un grupo de turistas está pasando por campos deslumbrantes. Pero las cortinas del tren están cerradas, y ellos no ven nada. Están todos ocupados en decidir quién tendrá el asiento de honor, quien será apreciado, quién es el mejor, quién es el más bonito, el más talentoso.

Eso continúa hasta el fin del viaje. Si usted pudiese entender eso, sería libre, comprendería lo que es la espiritualidad.

Entonces descubrirá qué es la realidad, quién es Dios, pues se habrá desprendido de una de las mayores ilusiones: la ilusión de que necesitamos ser apreciados, bien vistos, tener éxito, tener prestigio, honra, poder y popularidad.

¡Sólo hay una necesidad! Esa necesidad es amar.

Cuando alguien descubre eso, es transformado.

Cuando la vida se vuelve oración... cuando la espiritualidad se traslada a nuestros actos.

Deje su barco en la playa

El amor no es una relación. Es un estado del ser.

Un día, viajaba yo desde los Estados Unidos hacia Canadá.
Cuando pasábamos la frontera, el piloto dijo:
"¡Estamos en la frontera norteamericana!" Miramos hacia abajo y, es gracioso, no se veía nada. ¿Ha notado que eso sólo existe en la mente, que en la naturaleza no hay divisiones? ¿Que ser norteamericano está sólo en su mente? ¿Que no hay árboles o montañas norteamericanas? ¡Eso es una convención!
Pero las personas están listas a morir por eso, tan real les parece la separación.
¿Ha notado que el día de Navidad sólo existe en su cabeza? En la naturaleza no hay día de Navidad. Pero las personas son dominadas por sentimientos navideños. Y no hay día de año nuevo, no hay hijos ilegítimos. Decir a alguien que él o ella es hijo ilegítimo es un escándalo. En la naturaleza no hay hijos ilegítimos. La ilegitimidad es una convención humana. Decir a un niño que es adoptado, entonces... ¡Eso está sólo en la mente! Hay culturas en las que casi todos son adoptados y a nadie le preocupa. Reaccionamos a las palabras, a las ideas. Vivimos de ideas.
Nos alimentamos de palabras.
Me acuerdo de un hacendado, cuya propiedad estaba en la frontera rusofinlandesa. Y él tuvo que decidir si su hacienda quedaba en Finlandia o en Rusia.
Escogió Finlandia. Los oficiales rusos mandaron preguntar por qué no quería quedarse en Rusia.

Y él dijo: "Miren, durante toda mi vida quise vivir en nuestra madre Rusia, pero a mi edad, ¡yo no sería, francamente, capaz de aguantar otro invierno ruso!"
El amor no es atracción. "Te amo más de lo que amo a cualquier otra persona." Traducción: me siento más atraído por ti que por los otros. ¿Qué tal? Usted me atrae más que los otros. Usted se ajusta mejor al programa de mi mente que las otras personas. Eso no es muy halagador para usted, porque "si mi programa fuese diferente..." Recuerde a las personas que dicen: "¿Qué encuentra en ella? ¿Qué ve en ella?" ¡La atracción es ciega!

Una pareja de edad estaba conmemorando sesenta años de matrimonio. Después de la celebración, cansados, estaban sentados y el abuelo, emocionado, dijo: "¡Abuela, estoy orgulloso de ti!"
"¿Qué dice, abuelo? Es mejor que hable más alto. ¡No puedo oírlo sin aparato!"
Y él dijo: "¡Estoy orgulloso de ti!"
Y ella: "¡También yo estoy cansada de ti!"
Ahí es donde acaba la atracción.

¿Usted se siente atraído por alguien o por algo? Al entregarse a la atracción, sigue la gratificación. Y después de la gratificación, el cansancio o la ansiedad: "¡Espero poder mantener esto! ¡Espero que otra persona

no me lo quite!" Sentimiento de posesión, celos, miedo de la pérdida. ¡Eso no es amor!
El amor no es dependencia. Es muy bueno depender de las personas. ¡Si no dependiésemos los unos de los otros, no habría sociedad! ¡Interdependencia! Dependemos del carnicero, del panadero, del fabricante de velas, del piloto, del chofer de taxi, de toda clase de personas. Pero depender unos de otros para ser felices, ahí está el mal.
A veces, vemos a dos personas vacías, dependiendo la una de la otra, dos personas incompletas apoyándose mutuamente. Dos piezas de dominó, una se mueve, la otra cae. ¿Eso es amor? ¡El amor no es compartir nuestra soledad! Las personas se sienten vacías por dentro y se apuran a rellenar el vacío con alguien. Eso no es amor. Para huir del vacío de la soledad, las personas se entregan a toda especie de actividades, al trabajo, a los brazos de alguien. Pero la cura para la soledad no es el contacto con seres humanos, sino un contacto con la realidad.
Al enfrentar la soledad, descubrimos que ella no está allí. ¡No hay ningún vacío! Allí hay algo para ser recordado en el futuro. Lo que usted busca está en su interior. Al enfrentarse con todo lo que hay en su interior, aquello de lo que huye desaparece. Y lo que busca viene a la superficie. El amor no es compartir nuestra soledad. Cuando las personas hablan sobre el amor, la mayoría de las veces están hablando de una mercadería

para regatear: "¿Usted es bueno para mí? ¡Yo seré bueno para usted! ¿Usted es agradable para mí? ¡Yo seré agradable con usted! ¿Usted no es gentil conmigo? ¡Desgraciado, los sentimientos agradables que yo tenía para con usted se volvieron amargos!"
¿Eso es amor? Ése es el mercado de las emociones, disfrazado de actitudes de amor.
El amor no es deseo. Siglos atrás, dijo Buda:
El mundo está lleno de sufrimiento. El origen del sufrimiento, la raíz del sufrimiento, es el deseo. La eliminación del sufrimiento consiste en eliminar el deseo. Con *deseo* él quiere decir aquello de cuya satisfacción depende mi felicidad. Y nuestra sociedad y cultura están todo el tiempo animándonos a aumentar ese deseo. El mundo está lleno de sufrimiento. La raíz del sufrimiento es el deseo. La eliminación del sufrimiento pasa por la eliminación del deseo.
¡La ambición es un lavado de cerebro que nos hicieron! Nos dijeron que si no teníamos ambición, no haríamos nada. Olvidaron la alegría y la delicia que hay en trabajar. Cuando un arquero dispara al azar, aplica toda su destreza. Cuando apunta hacia un premio en oro, queda ciego, pierde la razón, ve dos blancos. Su habilidad no cambió, pero sí el premio. Se preocupa más por vencer que por tirar. Y la necesidad de ganar lo vació de poder. La ambición quita poder.
El mundo está lleno de sufrimiento, la raíz del sufrimiento es el deseo. Los matrimonios construidos sobre el deseo

son frágiles, prontos a deshacerse:
"Tengo muchas expectativas respecto de ti, es mejor que no me desilusiones..."
"Tú tienes expectativas respecto de mí. Es mejor que las cumpla..." ¡Discusiones!
"¡Tú me necesitas! ¡Yo te necesito! ¡Necesito hallar mi felicidad en ti!"
"¡Necesitas hallar tu felicidad en mí!"
Es ahí donde comienza el conflicto. Allí comienza el sentimiento de posesión. ¡Donde hay ese tipo de deseo, hay una amenaza! Y donde hay amenaza, hay miedo. Y donde hay miedo, no hay amor. Porque siempre odiamos lo que tememos. ¡Y el amor perfecto elimina el miedo! Dondequiera que haya deseo de ese tipo, viene siempre acompañado de miedo.
El amor no es deseo, no es fijación. Apasionarse es el exacto opuesto del amor, pero la pasión está canonizada en todos lados. Es una enfermedad con la que todos están tentados de contagiarnos. Ella se hace oír en el cine, en las canciones de amor. Vi una película en la que una chica decía a un muchacho: "¡Te amo, no puedo vivir sin ti!" ¿No puedo vivir sin ti? ¿Amor? ¡Eso es hambre! ¡Cuando me siento apasionado por ti, dejo de verte! Donde sea que haya una emoción poderosa, positiva o negativa, no puedo ver con claridad. La emoción interfiere y me hace proyectar mis propias necesidades en el otro.
Hablamos hasta ahora de lo que el amor no es y llegamos

a la conclusión de que no puede ser dicho lo que el amor es. No se puede decir. Cuando usted se desprende de sus miedos, apegos e ilusiones, sabrá. Andamos entre comparaciones.
Amar significa, al menos, claridad de percepción y precisión de respuesta. Ver al otro claramente como es. Eso es lo mínimo que puedo pedirle al amor. ¿Cómo puedo amarlo si no lo veo? Cuando nos vemos, generalmente no nos vemos el uno al otro. ¡Buscamos una imagen!
¿Un marido se relaciona con su mujer o con la imagen que ha construido de ella? ¿La mujer se relaciona con su marido o con la imagen que ha hecho de él?
Tengo una experiencia de usted. Esta experiencia está guardada en mi memoria, hago mi juicio basado en la experiencia. La llevo conmigo. Acciono o reacciono en base a eso. No en base a lo que es usted ahora.
Lo miro a través de un retrato.
Cuando viene a mí y dice, después de un conflicto: "Lo siento mucho por aquella discusión", sería maravilloso que yo no me acordase de nada más. De eso hablan los místicos cuando dicen *purificación de la memoria.* Ellos no dicen: "olviden todo", sino "vacíense de emoción". ¡Cúrense del dolor!
Ustedes dicen: "¿Recuerdas cómo estábamos apasionados hace dos años?" ¿Usted quiere que yo reaccione a eso o a usted como es ahora? Cuando se piensa en el amor como inversión, no se sabe qué es el amor.
Amar es como oír una sinfonía. Ser sensible a toda esa

sinfonía. Significa tener un corazón sensible a todos y a todo. ¿Usted puede imaginar que una persona oiga una sinfonía y sólo escuche los tambores? ¿Dar tanto valor a los tambores que los otros instrumentos queden casi apagados? Un buen músico, que ama la música, escucharía cada uno de aquellos instrumentos; él puede tener su instrumento favorito, pero los escucha a todos. Cuando usted se apasione, cuando tenga un sentimiento de apego, una obsesión, ¿sabe lo que sucederá? El objeto de su pasión se destacará y las otras personas se apagarán.

El amor no es una relación. Es un estado del ser. El amor existía antes que cualquier ser humano. Antes de que usted existiese, el amor ya existía.

Dije que cuando el ojo está limpio el resultado es la visión. Usted no puede hacer nada para conseguir el amor. Si usted comprendiese sus deberes, apegos, atracciones, obsesiones, predilecciones, inclinaciones, y si se desprendiese de todo eso, el amor aparecería. Cuando el ojo está limpio, el resultado es la visión. Cuando el corazón está limpio, el resultado es el amor.

Índice

Se terminó de imprimir en el mes de octubre de 1993
en el Establecimiento Gráfico **LIBRIS S.R.L.**
MENDOZA 1523 (1824) • LANÚS OESTE
BUENOS AIRES • REPÚBLICA ARGENTINA